IMÓVEIS: COMO INVESTIR E GANHAR MUITO DINHEIRO

CB124907

CÓPIA NÃO AUTORIZADA É CRIME
ABDR
ASSOCIAÇÃO BRASILEIRA DE DIREITOS REPROGRÁFICOS
RESPEITE O DIREITO AUTORAL

Preencha a **ficha de cadastro** no final deste livro
e receba gratuitamente informações
sobre os lançamentos e as promoções da Elsevier.

Consulte também nosso catálogo
completo, últimos lançamentos
e serviços exclusivos no site
www.elsevier.com.br

Ken McElroy

IMÓVEIS: COMO INVESTIR E GANHAR MUITO DINHEIRO

Os segredos para lucrar com detalhes que passam desapercebidos

10ª Tiragem

Tradução
Marcelo Apelbaum

Revisão Técnica
Afonso Celso da Cunha Serra

ELSEVIER

CAMPUS

Do original
The ABC's of real estate investing: the secrets of finding hidden profits most investors miss
Tradução autorizada da edição publicada por Warner Books, Inc., e Cashflow Technologies, Inc.
Copyright © 2004 by Ken McElroy

© 2005, Elsevier Editora Ltda.

Todos os direitos reservados e protegidos pela lei nº 9.610, de 19/02/1998.
Nenhuma parte deste livro, sem autorização prévia por escrito da editora, poderá ser reproduzida ou transmitida sejam quais forem os meios empregados: eletrônicos, mecânicos, fotográficos, gravação ou quaisquer outros.

Copidesque: Ana Cristina de Assis Serra

Editoração Eletrônica: DTPhoenix Editorial

Revisão Gráfica: Shirley Lima da Silva Braz | Rose Mary Cunha

Elsevier Editora Ltda.
Conhecimento sem Fronteiras
Rua Sete de Setembro, 111 – 16º andar
20050-006 – Centro – Rio de Janeiro – RJ – Brasil

Rua Quintana, 753 – 8º andar
04569-011 – Brooklin – São Paulo – SP

Serviço de Atendimento ao Cliente
0800-0265340
sac@elsevier.com.br

ISBN 13: 978-85-352-1729-2
ISBN 10: 85-352-1729-0
Edição original: ISBN 0-446-69184-4

Nota: Muito zelo e técnica foram empregados na edição desta obra. No entanto, podem ocorrer erros de digitação, impressão ou dúvida conceitual. Em qualquer das hipóteses, solicitamos a comunicação ao nosso Serviço de Atendimento ao Cliente, para que possamos esclarecer ou encaminhar a questão.

Nem a editora nem o autor assumem qualquer responsabilidade por eventuais danos ou perdas a pessoas ou bens, originados do uso desta publicação.

CIP-Brasil. Catalogação-na-fonte.
Sindicato Nacional dos Editores de Livros, RJ

M429i McElroy, Ken
Imóveis: como investir e ganhar muito dinheiro — os segredos de lucrar com detalhes que passariam despercebidos / Ken McElroy; tradução de Marcelo Apelbaum — Rio de Janeiro: Elsevier, 2005. — 10ª reimpressão.
(O guia do pai rico)

Tradução de: The ABC's of real state investing
ISBN 85-352-1729-0

1. Bens imóveis como investimento — Manuais, guias, etc. I. Título. II. Série.

05-1202 CDD 332.6324
CDU 330.133

Pai Rico
Jornada para a liberdade financeira

Meu pai pobre sempre dizia: "O que você sabe é importante". Meu pai rico ensinava: "Se quiser ser rico, as pessoas que você conhece são mais importantes do que aquilo que você sabe".

O pai rico completava: "Negócios e investimentos são como esportes em equipe." O investidor mediano ou o pequeno negociante perdem financeiramente porque não têm uma equipe. Eles atuam individualmente e são esmagados pelas equipes inteligentes.

A série Consultores do Pai Rico foi criada com o propósito de orientá-lo na definição de quem procurar e de que perguntas fazer. Com isso, você poderá reunir sua própria equipe de consultores.

Esta publicação visa a oferecer informação geral a respeito do assunto em questão. Entretanto, leis e práticas variam de um país para outro e sujeitam-se a mudanças. Em razão disso, conselhos específicos devem ser adequados a circunstâncias particulares. Assim, aconselha-se o leitor a orientar-se com seu próprio consultor, respeitando situações peculiares.

O autor tomou as precauções necessárias na preparação deste livro e julga que os fatos apresentados dizem respeito à época em que foram escritos. Entretanto, nem o autor nem a editora assumem qualquer responsabilidade por erros ou omissões. O autor e a editora eximem-se particularmente de qualquer responsabilidade resultante do uso ou da aplicação de informações contidas neste livro, advertindo que a informação não pretende ser conselho legal ou profissional relativa a situações individuais.

Agradecimentos

Este livro é dedicado à minha maravilhosa esposa, Laura, e a meus estimulantes filhos, Kyle e Kade. Obrigado a todos vocês pelo apoio constante e pela compreensão desde o momento em que este livro começou a ser escrito.

Eu gostaria de agradecer a Kathy Heasley, pessoa fundamental na exploração dos quinze anos de meus conhecimentos em investimentos imobiliários e gerenciamento de imóveis, de modo a organizar maravilhosamente cada capítulo deste livro.

Estendo os agradecimentos especiais a Robert e Kim Kiyosaki e a Sharon Lechter, por me permitirem participar como escritor da série Consultores do Pai Rico, e, claro, a meu sócio, Ross McCallister, por nunca dizer nada além de palavras encorajadoras desde que embarquei nesta aventura.

Sumário

Prefácio

APRENDENDO COM UM PERITO

Dirija-se a qualquer livraria e você irá encontrar muitos livros sobre investimentos imobiliários. Se você for como eu, deve ter lido vários. Quando os livros são escritos por pessoas que se dizem financeiramente bem-sucedidas, percebo que muitas não são verdadeiras profissionais de investimento imobiliário.

Um famoso autor desse segmento ganhou muito dinheiro vendendo seus livros sobre o assunto, apesar de ter perdido a maior parte de seu patrimônio investindo em imóveis. Hoje, ele continua ganhando bastante dinheiro com a venda de seus livros e cobra muito por suas palestras. Outro autor famoso foi um mecânico há poucos anos. Ele entrou no ramo de investimento imobiliário após ter sido demitido de seu emprego. Recentemente eu recorri a um ex-planejador financeiro que parou de vender fundos mútuos depois da quebra da Bolsa de Valores, e atualmente está presidindo seminários. Ele ensina seus segredos em investimentos e, posteriormente, leva o público a investir em seus imóveis de preços elevados.

Solicitamos a Ken McElroy que escrevesse este livro por cinco razões:

1. Ken é um verdadeiro profissional em investimentos imobiliários. Ao se formar na faculdade, ele começou sua carreira como administra-

dor de imóveis. Atualmente, Ken McElroy possui uma das maiores empresas de administração de imóveis no sudoeste dos Estados Unidos. Ken também é incorporador de imóveis comerciais de milhões de dólares, presidente da Arizona Multihousing Association, além de ser lobista atuante no Congresso americano, a favor da indústria imobiliária. Por causa de sua experiência e sua reputação, banqueiros como Lehman Brothers são, muitas vezes, parceiros financeiros em seus projetos.

2. A administração de imóveis é um dos fatores mais importantes em investimentos imobiliários. Muitas pessoas não entram nesse ramo — ainda que, na minha opinião, seja a melhor classe de investimentos do mundo — porque não querem consertar banheiros ou lidar com os inquilinos. Eu não as culpo. As dicas de Ken sobre o aspecto gerencial de investimento imobiliário não têm preço.
3. A administração de imóveis é um processo de longo prazo. Encontrar, financiar e vender uma propriedade são frequentemente eventos de curto prazo. Se você é um verdadeiro investidor, e não um especulador que compra e vende imóveis rapidamente visando ao lucro, a administração de imóveis é um processo contínuo. Em outras palavras, o cerne dos investimentos imobiliários é uma atividade duradoura e ininterrupta de administração de imóveis.
4. Grande parte do lucro em investimentos imobiliários é construída ou destruída pela administração de imóveis. Muitas pessoas perdem dinheiro em investimentos imobiliários simplesmente porque falham no gerenciamento de suas próprias propriedades. Se não é possível controlar os moradores, as receitas e as despesas, a propriedade rapidamente irá água abaixo. A boa notícia é que os profissionais de investimentos imobiliários adoram comprar imóveis de investidores que falham em gerenciar bem as suas propriedades. Por quê? Porque muitas vezes conseguem um bom preço de compra e depois, com um bom gerenciamento, aumentam a geração de caixa e valorizam o imóvel.
5. Ken McElroy é um excelente professor, e não somente um integrante da série Consultores do Pai Rico. Além de me aconselhar em meus investimentos em imóveis, somos sócios nesse ramo. Mais importante ainda: ele sabe o que está dizendo. Ken, muitas vezes, me acompanha em palestras para grandes grupos. Ele fala a respeito de como administrar imóveis, como analisar um investimento e como reconhe-

cer se um vendedor ou um corretor está dizendo a verdade. Se algum dia você tiver a oportunidade de ouvir Ken falar em investimentos imobiliários, aproveite.

Como eu disse, existem muitos livros de investimento imobiliário e muitos indivíduos se achando peritos nesse assunto. No entanto, este livro é diferente porque: primeiro, foi escrito visando ao mais importante aspecto dos investimentos imobiliários: a administração de imóveis; e segundo, porque foi escrito por um verdadeiro perito.

Robert Kiyosaki

Capítulo 1

O mito e a mágica

Em todo negócio e em toda indústria existem pessoas que parecem ser abençoadas pelo sucesso. Elas parecem conhecer todas as pessoas certas, tomam todas as decisões corretas, estão nos locais certos, nas horas certas. Elas parecem destinadas ao sucesso, independentemente de tentarem ou não. Com investimento imobiliário não é diferente. Em toda cidade parece ter um magnata que ficou rico por causa do mercado imobiliário.

São pessoas que fazem o sucesso parecer fácil. Elas aparentam ser confiantes, conhecedoras, espertas e parecem enxergar oportunidades onde outras pessoas não conseguem. É fácil para as pessoas de fora pensar que a façanha desses poucos afortunados resulta da sorte ou de algum tipo de mágica. No entanto, mágica e sorte não têm nada a ver com isso.

Há aproximadamente quinze anos eu decidi: seria uma das pessoas que acabo de descrever. Iria fazer meu próprio sucesso, ser meu próprio chefe e alcançar a independência financeira. E escolhi administração de imóveis como minha rota. Você pode chamar isso de instinto, impaciência ou forte desejo. Eu não estava disposto a esperar um golpe da sorte ou um toque de mágica. Resolvi fazer meu sonho acontecer, e o fiz por meio da ação.

No início do meu negócio com administração de imóveis e investimentos imobiliários, houve muitas tentativas e erros, em parte por culpa minha. Mas, para cada erro que eu cometia, aprendia dez lições e ficava mais esperto todo dia. Comecei a enxergar padrões, a descobrir fórmulas e sistemas e também a criar uma rede de pessoas com as quais poderia contar. Levou tempo e deu trabalho, porém, quanto mais eu perseguia meu sonho, mais sorte eu sentia que tinha, e mais as oportunidades mágicas se apresentavam a mim.

Talvez exista um pouco de sorte e mágica no sucesso. Porém, é a sorte e a mágica que vêm do trabalho duro e de estar preparado. Nos seminários, onde diversas vezes sou o palestrante, frequentemente vejo pessoas dando os primeiros passos em direção ao sucesso futuro, como eu próprio fiz há aproximadamente duas décadas. Muitas possuem dois elementos preciosos: a garra e o desejo, que irão ajudá-las a superar os obstáculos e prepará-las para o futuro.

Infelizmente, vejo também nos seminários algumas pessoas que carecem do que é necessário, pois estão à procura de riqueza rápida e têm pouca ou nenhuma noção do comprometimento necessário para alcançar o sucesso nos negócios. Outras têm muita vontade, porém carecem da habilidade técnica e do conhecimento que somente podem vir da experiência. Escrevi este livro para essa categoria de pessoas. Não se trata de enriquecimento rápido ou de motivação instantânea, mas espero que você se inspire a seguir seus sonhos de investimentos imobiliários. Este é um livro que revela métodos comprovados, elimina o desconhecido e reduz o tempo de aprendizagem para qualquer um que escolha investimentos imobiliários como o seu caminho para a independência financeira.

Antes de nos aprofundar em como encontrar, comprar e gerenciar investimento em imóveis, vamos nos concentrar em alguns mitos que somente impedirão você de avançar caso acredite neles. Penso que a lista a seguir é familiar. Você ou alguém já disse essas coisas? Algumas dessas afirmativas estão atormentando a sua cabeça ou impedindo que você avance? Essas inverdades estão paralisando você de medo? Vamos nos livrar delas de cara. É hora de nos desembaraçar desses empecilhos.

MITO 1: VOCÊ PRECISA SER RICO PARA INVESTIR EM IMÓVEIS

As pessoas acreditam que necessitam de muito dinheiro para investir em imóveis. Elas julgam que os investimentos imobiliários são como poupar para comprar a primeira casa ou algo que só é possível depois que se faz fortuna por meio de outra atividade. Ambos os pensamentos não podiam estar mais distantes da verdade. Você não precisa de centenas de milhares de dólares no banco para investir em imóveis, muito menos de milhões. Tudo que você precisa é de um bom investimento imobiliário que faça sentido — aquele que tenha potencial de lucro e que se baseie em dados financeiros consistentes.

Meu sócio e eu vínhamos trabalhando dessa forma durante anos. Nosso primeiro investimento foi um imóvel em condomínio que comprei mobiliado e pus para alugar. Era um apartamento de dois quartos que incluí num programa de locação por temporada. Pessoas que desejavam se desligar de tudo podiam alugar o meu apartamento ou algum outro para um final de semana fora.

Custou-me somente US$116.000 e tirei apenas US$20.000 do meu próprio bolso. Você provavelmente deve estar pensando "Está vendo? Eu sabia que você precisava ter algum dinheiro disponível para iniciar esse negócio". Bem, eu fiz esse negócio antes de ter um bom conhecimento do assunto. Contraste-o com a mais recente aquisição de um complexo de 182 apartamentos em Sun City, Arizona. O custo total foi de US$9 milhões. Antes de você fechar o livro e dizer, "Isto está fora da minha realidade", vou contar o fim da história. O sinal foi de US$2 milhões, importância que angariamos de outros investidores. Do meu bolso, não saiu nada. Eu dei a maior parte da sociedade a pessoas que me emprestaram o sinal; em suma, eu formei uma parceria. Minha habilidade como vendedor não tinha nada a ver com isso. O negócio era tão bom que as pessoas simplesmente queriam fazer parte dele. O que eu descobri é que existem muitas pessoas procurando bons investimentos imobiliários.

Algumas pessoas são avessas a sociedades, mas eu acredito que sócios são valiosos. Eles ajudam a distribuir o risco, permitindo que você possua pequenas posições em diversos imóveis, ao invés de uma grande posição em somente um empreendimento. E é fato que as equipes realizam mais. E em relação ao retorno do investimento, qual negócio você preferiria fazer: o imóvel de US$ 116.000 que custou US$20.000 ou aquele que não custou nada a você e rendeu 10% de US$9 milhões? Só para lembrar, o ganho foi de US$ 900.000 e eu escolheria essa segunda opção em qualquer circunstância.

Uma vez localizada a oportunidade em investimento imobiliário, a tarefa é encontrar investidores que estejam buscando um bom retorno para seu capital. O primeiro negócio, claro, é o mais difícil, porque você ainda é desconhecido no setor. Mas confie em mim: a coisa fica mais fácil a cada negócio de sucesso que você realiza.

Tudo é difícil antes de ficar fácil.

Hoje, meu sócio e eu temos pessoas a postos que querem participar de nosso próximo investimento imobiliário. Não porque sejamos especiais, mas porque somos sistemáticos. Nós observamos uma grande variedade de negócios e escolhemos somente aqueles financeiramente viáveis, como o recém-mencionado. Também nos comunicamos com nossos investidores e os tratamos de modo justo. Eles ganham dinheiro quando nós ganhamos dinheiro.

Você deve estar surpreso ao perceber que existe um grande número de pessoas interessadas em investimentos imobiliários, especialmente quando outros tipos de investimento, como mercado de ações e títulos, estão estáveis ou em baixa.

Em cada cidade, existem milhares de pessoas que comparecem às nossas palestras e estão em busca de investimentos imobiliários que façam sentido. Uma dessas pessoas pode vir a ser seu primeiro parceiro de investimento.

MITO 2: VOCÊ PRECISA COMEÇAR PEQUENO — GRANDES NEGÓCIOS SÃO MUITO ARRISCADOS

Não há nada de errado em começar pequeno. Talvez você esteja pensando em comprar um imóvel unifamiliar de aproximadamente US$250.000 para aluguel. Ou até uma casa com duas unidades residenciais por US$320.000. Mas por que desconsiderar um prédio de cinquenta apartamentos avaliado em US$2 milhões? Acredite ou não, qualquer uma dessas propriedades está a seu alcance.

Este exemplo também ilustra o risco referente à avaliação. Quando você compra uma casa ou um apartamento e os põe em locação, a valorização do imóvel depende exclusivamente da valorização dos imóveis no bairro. É melhor que você tenha comprado no bairro certo, porque há muito pouco a ser feito para ganhar com a valorização do imóvel. Em contraste, o potencial de ganho de empreendimentos imobiliários para aluguel, como prédios de apartamentos, se baseia no caixa gerado pelo próprio imóvel. Quanto mais dinheiro fizer, mais dinheiro vale. Agora, você está no controle. Quando a geração de caixa aumenta, o imóvel se valoriza. Gerencie bem o seu imóvel e você aumentará o valor dele. Gerencie mal e o valor do imóvel se manterá estável, ou até declinará.

Outra razão por que os empreendimentos imobiliários maiores são menos arriscados se relaciona com a questão da ocupação. Quando um imóvel unifamiliar é alugado, significa que estará totalmente ocupado. Quando está vazio, significa que está integralmente desocupado. Em uma grande propriedade ou até um prédio de oito apartamentos, se um morador for embora, você ainda terá sete moradores pagando o aluguel. Sua exposição em relação à ocupação é inversamente proporcional ao número de moradores.

MITO 3: VOCÊ PODE ABRIR SEU CAMINHO PARA O SUCESSO OU ENRIQUECER RAPIDAMENTE SEM RECURSOS PRÓPRIOS

Muitas pessoas pensam que comprar imóveis e vendê-los rapidamente por valores superiores é o caminho para o enriquecimento. As pessoas que acreditam nisso precisam de sorte o suficiente para ganhar dinheiro dessa forma. Porém, na minha opinião, isto é como comprar e vender ações no mesmo dia na Bolsa de Valores: não é fácil e é muito arriscado.

"Sem recursos próprios" é uma outra forma de dizer que o imóvel é totalmente financiado. Isto significa que a maior parte de sua geração de caixa, senão toda, será destinada a pagamentos mensais futuros. Nos negócios sem recursos próprios, você paga elevadas taxas de juros em função de haver grande risco e altos custos para quem realiza o empréstimo de capital, e não lhe sobra nenhum capital para melhorar a propriedade ou até mesmo consertar algo, caso quebre. Por esse modelo, você está apostando na valorização do imóvel para ganhar dinheiro em vez de melhorar a utilização da propriedade e aumentar a geração de caixa. Vamos esperar que o mercado dê uma melhorada e que o momento escolhido seja perfeito, pois você depende das condições ideais e de fatores externos. A valorização, como você verá em maiores detalhes mais adiante neste livro, só está sob seu controle quando você aumenta a geração de caixa. E nesse cenário você ainda não está gerando caixa.

Como você já deve ter concluído, não acredito em investimentos imobiliários sem recursos próprios e também não acho bom negócio comprar e vender imóveis rapidamente. Mesmo no exemplo em que eu, pessoalmente, não apliquei capital próprio no prédio de US$9 milhões em Sun City, nós, como uma equipe de investidores, entramos com US$ 2 milhões de recursos próprios. Acho que comprar e manter ativos em geral, como imóveis para locação, é a melhor forma de ficar rico. Você pode dizer, "Mas eu preciso de ganho de capital — o aumento patrimonial resultante desse investimento imobiliário — para comprar um segundo imóvel com mais unidades e destiná-lo à locação. Isso significa que eu preciso vender o primeiro imóvel". Na minha experiência, isso não é verdade. O que você necessita é de um segundo investimento que faça sentido, capaz de atrair os investidores para o negócio. Eles irão ajudá-lo a levantar o investimento inicial da segunda propriedade e você irá recompensá-los assim que o investimento gerar dinheiro.

Nós, recentemente, finalizamos a construção de um imóvel de 208 apartamentos localizados em Goodyear, no Arizona, que custou US$ 13,8 milhões. Depois de pronto, foi avaliado em US$ 16,3 milhões. Nós tínhamos recebido diversas ofertas para vender essa propriedade e os corretores estavam a postos aguardando uma oportunidade. Embora as propostas apresentadas fossem tentadoras, resolvemos não vender, mesmo diante da possibilidade de um ganho de US$2,5 milhões em dinheiro após dois anos de trabalho. O grande problema era a questão tributária. Com base na legislação americana, se tivéssemos escolhido ganhar os US$2,5 milhões, teríamos sido forçados a reaplicar o dinheiro no mercado para evitar pesada tributação. É claro que obtivemos valorização, mas tínhamos também o que é conhecido como um "fato gerador" tributário. Imagine uma tributação de 30% sobre um ganho de US$2,5 milhões. Corresponde a um pagamento desnecessário de impostos de US$750.000.

Nos Estados Unidos, se você quiser retirar o capital, não precisa vender o imóvel. Você refinancia a propriedade e retira da mesma o capital possível. Nessas circunstâncias, segundo a legislação americana, não ocorre o fato gerador, e você não é obrigado a pôr o dinheiro em outro investimento. No caso do imóvel de 208 apartamentos, nós iremos refinanciá-lo e usar o capital retirado da propriedade para remunerar o investimento de nossos parceiros com juros. É um ótimo sistema, e o melhor de tudo é que você ainda possui a propriedade, ou seja, continua recebendo o fluxo de caixa do prédio em forma de aluguel e, a partir do momento em que o prédio valoriza, você pode refinanciá-lo e retirar o ganho, livre de tributação, novamente. Este é o capital que você pode usar para outros negócios, e é o que eu faço todos os dias.

Em 95% dos casos, as propriedades se tornam mais valiosas com o passar do tempo, especialmente se você seguir os procedimentos apresentados neste livro, que o ensinarão a comprar a propriedade certa. Você ainda poderá bancar as melhorias necessárias para o bairro e torná-lo um lugar mais agradável para os moradores. Tudo isso agrega valor e faz sentido apostar na valorização em longo prazo.

MITO 4: ALGUMAS PESSOAS SIMPLESMENTE TÊM O TOQUE DE MIDAS

É fácil pensar que as pessoas que obtêm sucesso por meio de investimentos imobiliários têm algum tipo de sorte ou toque de Midas. Entretanto, a coisa não é bem assim. Elas são apenas pessoas que enxergam a oportunidade e sabem como torná-la real e lucrativa. Pense em qualquer pedaço de terra de dez hectares. Digamos que essa parcela seja cercada por muitas lojas de varejo e que, além disso, as grandes cadeias de varejo estejam nas redondezas da região. Digamos também que exista uma grande fábrica de microchips na região que empregue mil pessoas.

Pergunte a um construtor de conjuntos residenciais e ele verá a possibilidade de erigir apenas quarenta imóveis unifamiliares naqueles dez hectares. Pergunte a um arquiteto de imóveis personalizados e ele imaginará dez residências de luxo. Pergunte a um incorporador de imóveis comerciais para varejo e ele conceberá um shopping center ancorado por dois tipos de estabelecimentos comerciais: lojas de especialidades e restaurantes. Pergunte a um empreendedor de grandes negócios imobiliários e ele verá um condomínio de 150 apartamentos, guarnecido com piscinas e academias de ginástica. Pergunte a outro empreendedor comercial especializado em escritórios e ele verá um prédio comercial de três andares. Em outras palavras, cada pessoa enxerga o investimento imobiliário de forma diferente, e a visão de cada uma proporcionará diferentes retornos sobre o investimento — alguns melhores do que outros.

A parte importante no reconhecimento de oportunidades é o bom-senso. Pessoas que parecem ter o toque de Midas usam seu bom-senso quando procuram propriedades e oportunidades. No exemplo dado, o bom-senso me diz que prédios de luxo seriam difíceis de vender numa área de dez hectares, em virtude do trânsito pesado na região, oriundo do comércio varejista. O mesmo pode ser dito sobre as unidades residenciais. Optar por construir mais comércio varejista pode ser viável se o empreendedor conseguir atrair inquilinos de alta qualidade para o local, porém estes já podem estar atuando nas redondezas. Certamente, neste exemplo, tanto o condomínio quanto os escritórios representam as opções mais viáveis. Por quê? Por causa do número de empregados nas proximidades, da ausência de apartamentos na região, da proximidade do varejo e da falta de escritórios para alugar. Nesse caso, o empreendedor que constrói prédios de escritórios ou apartamentos terá grande chance de obter sucesso e, com isso, parecerá que ele tem o toque de Midas. Não há mágica, somente bom-senso.

Como você sabe que está seguindo seu bom-senso? É fácil. Se todas as pessoas com as quais você conversar tiverem dificuldade de enxergar a sua visão sobre o imóvel, há duas possibilidades: uma ideia revolucionária que irá provar que todos estão errados ou uma má ideia que todo mundo reconhece como tal, exceto você. Em 99% dos casos, a última opção revela-se a verdadeira. Lembre-se, se você tiver dificuldade de vender a qualquer pessoa a sua visão da propriedade, é bem provável que você venha a enfrentar a mesma dificuldade quando seu projeto estiver pronto! E isso lhe custará dinheiro.

MITO 5: VOCÊ PRECISA DE UMA BOA DOSE DE CONFIANÇA

Não é verdade. As pessoas se subestimam constantemente. Elas ouvem aquela pequena voz de dúvida que sussurra e às vezes penetra em seus cérebros, reunindo todas as razões pelas quais não estariam preparadas e sequer deveriam tentar. Acredito que existam duas vozes: a voz da razão e a voz da dúvida própria. A voz da razão é o bom-senso; a voz da dúvida própria representa seu passado conduzindo seu futuro.

Eu tomei uma decisão consciente de não deixar meu passado ditar o meu futuro. Eu cresci em uma casa de classe média. Não há nada de errado nisso. De fato, na minha opinião, há tudo de correto nisso. Eu trabalhei por aquilo que tenho hoje. Aprendi valores sólidos. Grande parte veio da minha família. Meu pai não era exatamente um empreendedor até o final de sua carreira. Ele trabalhava bastante, mas não era um empreendedor. Ele trabalhou para a mesma empresa durante a maior parte de sua carreira e ganhou um salário estável que possibilitou nosso estilo de vida de classe média. Era uma vida boa para mim, meu irmão e minhas duas irmãs.

Quando saí da faculdade, segui os passos do meu pai e arrumei um emprego. Porém, ao mesmo tempo em que trabalhava naquele emprego, comecei a conhecer pessoas — pessoas que me mostraram seus caminhos empreendedores. Elas se tornaram meus mentores e, graças a elas, eu me tornei um empreendedor.

Com isso, associei os valores originais, que havia recebido dos meus pais, com o meu novo espírito empreendedor recém-descoberto, e me tornei completo.

Nada na minha criação teria me preparado para o que estou fazendo agora. No entanto, tudo foi importante. Acredito que depende de cada um de nós livrar-se das memórias e das cicatrizes de pais ausentes, mães muito críticas, amigos que nos ridicularizam e professores que nos rotulam no primeiro dia de aula.

Todos tivemos influências negativas em nossas vidas e cada um de nós terá muitas outras. Observe o que acontece em Hollywood. O que seria do programa de televisão "Celebrity Profile" no canal E! sem conflitos e sem dificuldades? Todos devem superar situações de desafio — é isto que as pessoas de sucesso fazem. Elas decidem deixar para trás seus passados, quaisquer que sejam. Eu escolhi aceitar o meu passado, aprender com ele, reproduzir o que foi positivo e perceber que as coisas ruins só me tornaram mais forte.

Os investimentos imobiliários exigem que você explore suas próprias forças. Meu conselho é buscar forças não só nas coisas boas da vida, mas também nos momentos de dificuldade: as experiências que realmente forjam o caráter. E, ao contrário do que pensa a maioria, a firmeza de caráter nunca é demais. Isto é tudo que tenho a dizer sobre confiança e caráter. O resto do livro é dedicado a seus investimentos imobiliários.

MITO 6: VOCÊ QUER FAZER, MAS NÃO TEM TEMPO

Isso, na verdade, é uma questão de escolhas e prioridades. Sempre existe tempo para fazer coisas que precisamos fazer, como ir ao trabalho todos os dias, fazer as compras do mês e alimentar o cachorro. Muitas vezes, não encontramos tempo para fazer as coisas que realmente queremos fazer. Aprender um segundo idioma, construir uma estante ou realizar trabalhos comunitários. Há uma diferença entre precisar e querer. Muitas vezes, nós fazemos o que precisamos e deixamos de lado o que queremos. Infelizmente, são nossos desejos que realmente enriquecem nossas vidas. O negócio de investimento imobiliário é algo que você deveria querer e até precisar fazer. É trabalho. Para ser verdadeiramente bem-sucedido, principalmente no começo, você precisa estar envolvido nas seguintes atividades cotidianas: encontrar e avaliar imóveis, negociar propostas, supervisionar consertos terceirizados e possivelmente até administrar imóveis. Eu posso dizer, honestamente, que acho o negócio recompensador e divertido, e, por causa disso, é lucrativo.

Eu mesmo fui vítima do mito de não ter tempo suficiente. Assumo toda a culpa. Sharon Lechter e Robert Kiyosaki me pediram para escrever este livro há dois anos. Depois de algum tempo, abracei a ideia e, de fato, queria começar a realizá-la. Porém, querer não foi o suficiente. O que me fez ir adiante foi o prazo inflexível: ou eu entregava ou perdia a oportunidade. Aquilo prendeu a minha atenção e me fez perceber que eu precisava estar disciplinado para escrever o livro. Estas foram as condições de produção deste livro.

Se você não tem tempo para começar o seu negócio de investimento imobiliário, talvez, em sua mente, você não *precise* verdadeiramente fazê-lo. Talvez você simplesmente *queira* fazê-lo. Mas "querer" somente não é o suficiente para fazer você começar. Afinal, se você trabalha a semana toda em outro emprego, você terá de procurar e avaliar imóveis no fim de semana. Você terá de fazer ligações telefônicas ao longo da semana ou à noite. Sempre existe uma maneira de tornar seus sonhos realidade... Contanto que eles sejam verdadeiramente seus sonhos.

MITO 7: VOCÊ TEM DE CONHECER ALGUÉM PARA DESLANCHAR NESSE NEGÓCIO

Embora conhecer poucas pessoas-chave, como um agente imobiliário, um advogado ou um banqueiro, possa poupar seu tempo, você não precisa conhecer ninguém, mesmo que remotamente ligado a investimentos imobiliários, para começar no negócio. Neste livro, você irá descobrir quais são as pessoas necessárias em sua equipe. E irá perceber que os objetivos traçados irão de fato definir a equipe. Pessoas que você conhece atualmente podem ou não ser pessoas adequadas à sua equipe: depende do que você quer ganhar com o seu negócio de investimento imobiliário.

Apenas comece e se surpreenderá com a quantidade de pessoas que irá conhecer e o quanto elas têm a ensinar. Você terá "colegas de negócio" muito antes de imaginar. Vou dar um exemplo. Nós estamos fazendo um negócio em Portland, Oregon. Eu moro e trabalho no Arizona. Não ia a Portland havia mais de dez anos. Todos os meus conhecidos já tinham ido embora de lá há muito tempo. Nem eu nem ninguém da minha empresa conhecíamos uma alma em Portland. O que sabíamos era que a cidade situava-se entre dois rios e que o índice de desemprego era elevado. A última informação dava conta de que as pessoas que possuíam imóveis provavelmente não estavam se saindo bem. Para mim, isto representava uma oportunidade de compra. Nós tínhamos um grande problema: tínhamos informações sobre a cidade, mas não conhecíamos uma única pessoa de lá. Então, avaliamos que as condições de mercado valeriam ao menos uma viagem de avião e alguns dias em Portland.

Antes de viajar, decidimos que iríamos encontrar a nossa equipe ou pelo menos iniciar esse processo. Então, recorremos à internet a fim de localizar administradores de imóveis, políticos, corretores etc., em preparação para a nossa viagem. Não estávamos dispostos a viajar para tão longe e não encontrar pessoas que pudessem oferecer informações sobre o mercado. Como resultado, tivemos dez ou doze encontros em um período de dois dias. Isso nos custou alguns almoços e jantares, porém tínhamos o começo de nossa equipe.

MITO 8: VOCÊ TEM DE SER UM NEGOCIADOR EXPERIENTE E UMA PESSOA DE NEGÓCIOS

Novamente, isto não é verdade. Experiência em negócios pode tornar este primeiro passo para a função de investidor mais confortável. Mas é tudo que irá fazer. Seu verdadeiro poder e sua confiança não virão de sua experiência passada. Ao contrário, virão dos negócios sólidos construídos por você e que representarão ganho para todas as partes envolvidas. Este livro lhe mostrará como encontrar e avaliar propriedades com o objetivo final de estabelecer um preço real de compra que maximize sua renda mensal e valorize seu ativo. Ache um negócio como este e todos irão querer participar desta oportunidade.

Ao longo dos anos, rejeitei vários empreendimentos, e negociação não tinha nada a ver com isto. Um dos negócios foi um prédio de 205 apartamentos em Glendale, Arizona. Há aproximadamente um ano, o preço sugerido foi US$7,9 milhões. Estudamos o negócio e, pela estimativa, US$7,2 milhões era um valor justo, com base no potencial de ganhos do imóvel. O vendedor rejeitou todas as ofertas. Seis meses mais tarde, ele sugeriu um novo preço de US$8,1 milhões. Se eu ainda estivesse interessado no imóvel, teria reapresentado minha oferta anterior em função do mesmo critério, ou seja, US$ 7,2 milhões. O vendedor provavelmente a teria rejeitado, como a qualquer outra baseada no potencial de ganhos. Você ficaria surpreso se soubesse que até hoje ele não conseguiu vender o imóvel?

Usando o método deste livro, você perceberá que o preço pedido pelo vendedor não é relevante. Não faz sentido negociar baseado neste número e, de fato, fazê-lo é o caminho certo para o desastre. Isto porque, na maioria dos casos, o preço inicial se baseia na opinião do vendedor sobre quanto vale o imóvel, e não em seu verdadeiro potencial de ganho. O que a maioria das pessoas considera reuniões de negociação são, na minha opinião, reuniões de exposição de motivos. É quando eu apresento os meus cálculos, que não estão sujeitos a negociações. Quando eu sou rejeitado — e, na verdade, é geralmente uma decisão mútua —, é porque os números não batem. Não fechar o negócio é um bom negócio.

MITO 9: VOCÊ TEM DE ENTENDER BASTANTE SOBRE MERCADO IMOBILIÁRIO

Este mito impede as pessoas de agirem a cada dia. Elas acreditam que precisam ser peritas em um assunto para terem sucesso, seja atuando em investimentos imobiliários, no mercado de ações ou numa lavanderia! Em primeiro lugar, o sucesso é uma jornada e não um destino, e todas as pessoas de sucesso começam no mesmo lugar. Um dia acordam, levantam-se, bocejam e então começam a jornada.

Somente depois do começo e da prática contínua é que nos tornamos peritos. Adquirimos perícia a partir da experiência. Lendo este livro, você estará se estruturando para saber por onde começar. Além do mais, você adquirirá conhecimento suficiente para impressionar as pessoas em eventos sociais, como, por exemplo, nas festas e nos churrascos. Mais importante do que isto, você aprenderá com o seu primeiro negócio e também com os seguintes.

Eu aprendo coisas novas com cada empreendimento. Alguns dos prédios que compramos recentemente em Portland foram construídos sobre um antigo píer de madeira dos anos 30. Quem poderia imaginar que, quando ingressei neste ramo de atividades, teria de aprender tudo sobre integridade estrutural de píeres de 70 anos de idade? Não eu, mas nós precisávamos descobrir tudo sobre as condições daquele píer antes de seguir em frente e realizar a compra daquela propriedade. Eu vivo no deserto. Então, você pode imaginar o quão estranho foi contratar mergulhadores, barcos e engenheiros estruturais para realizar as inspeções. Mas foi uma experiência muito construtiva. Estou sempre aprendendo coisas novas. Isto é o que torna tudo muito interessante.

A única maneira de saber bastante sobre investimentos imobiliários é iniciando-se neste segmento. Aí sim, você conhecerá as pessoas, aprenderá sobre o mercado e os padrões e entenderá as tendências. Você encontrará seus próprios píeres de madeira de 70 anos de idade, e isto manterá a jornada divertida. E antes que você perceba, estará impressionando pessoas em festas e churrascos com experiências vividas, e não somente lidas.

MITO 10: VOCÊ NÃO PODE TER MEDO DE FRACASSAR

Mostre-me um empreendedor que diz não ter medo de fracassar e eu lhe mostrarei um mentiroso! Uma declaração corajosa, porém verdadeira. Todos têm medo de fracassar. A diferença é que alguns de nós permitimos que o medo do fracasso nos impeça de ir em frente. Às vezes, o medo nos impede até mesmo de começar, e isso é desastroso. Se este for o caso, tome a decisão agora de começar passo a passo, fazendo uma ligação de cada vez, visitando um imóvel e depois outro e mais outro. Não é difícil, mas pode parecer, se focarmos apenas o resultado final, em vez de nos concentrarmos nos pequenos passos intermediários.

Às vezes, o medo do fracasso ocorre quando chega a hora de tomar a decisão em relação a um imóvel. Eu chamo de análise que provoca paralisia. E muita gente acaba sucumbindo. Elas analisam demais uma oportunidade e nunca estão suficientemente prontas para tomar uma decisão. Este livro será especialmente útil para esse grupo de pessoas com esse tipo de medo, porque mostra exatamente o que você precisa saber para analisar as oportunidades em investimentos imobiliários. Quando os números estiverem coerentes, nenhuma outra análise se faz necessária. Ficar paralisado de medo será coisa do passado.

Outro tipo de medo do fracasso se apresenta em forma de arrependimento. Em outras palavras, tomamos uma decisão em relação à propriedade, porém, quando as dificuldades ocorrem — e elas irão ocorrer —, nós nos arrependemos da decisão e gastamos energia com perguntas do tipo: "Por que nós fizemos isto?", no lugar de "O que podemos fazer para superar este obstáculo?". Essa forma de medo pode transformar uma ótima oportunidade em um péssimo negócio. Eu nunca me arrependo das minhas decisões, apenas considero onde estou como linha inicial, e parto para o desafio de cada dia.

Admito que, quando estava iniciando, tinha um forte medo do fracasso. A diferença é que eu sabia que, se não fizesse nada e permanecesse paralisado de medo, iria fracassar. Eu sentia uma chance maior de sucesso indo em frente. Um passo de cada vez para fazer algumas oportunidades valerem a pena. Isto é que é importante lembrar sobre o medo do fracasso: se você não o utilizar a seu favor como motivador, ele se tornará uma profecia autorrealizável.

MITO 11: VOCÊ PRECISA CONHECER OS TRUQUES DO NEGÓCIO

Não há truques do negócio, no mais puro sentido da palavra. Mas existem segredos para alcançar o sucesso na vida. E, a partir do momento em que você os conhecer, será bem-sucedido em qualquer coisa. Em primeiro lugar, você tem de estabelecer metas. Estas serão a base do caminho a ser percorrido em direção ao sucesso. Elas também vão informar quando você tiver alcançado seu objetivo, fazendo com que se sinta gratificado. Todos precisam deste estímulo. Não por coincidência, o próximo capítulo é sobre definição de metas.

Em segundo lugar, você precisa ter perseverança. Desistir tão logo as coisas ficam difíceis não produz vencedores. Em quinze anos, eu poderia ter desistido uma centena de vezes. E enfrentei várias situações difíceis. Financiamentos que fracassaram, problemas de empregados e questões realmente assustadoras de moradores. Porém, pessoas de sucesso superam as dificuldades e, consequentemente, tornam-se mais fortes, mais confiantes e mais bem preparadas para o próximo desafio. E confie em mim sempre: haverá mais desafios.

Por fim, você precisa compreender o processo. É isto que este livro faz. Ele o leva do começo ao final, passando por cada etapa intermediária, desde estabelecer metas até definir sua equipe, encontrar seu imóvel, avaliá-lo, determinar o preço de compra e administrá-lo. Eu ofereço a você quinze anos de experiência. Espero que este livro se torne seu manual para o sucesso.

Passos de Ação do Capítulo 1

- Compreenda os mitos neste capítulo.
- Pergunte a si mesmo se não existem quaisquer outros.
- Identifique aqueles que você acredita serem verdadeiros.
- Determine qual mito tem sido responsável pela obstrução do seu sucesso.
- Comprometa-se a abandonar estes mitos improdutivos.
- Comprometa-se a aprender técnicas e a se preparar para que coisas mágicas aconteçam com você.

CAPÍTULO 2

Você precisa ter uma meta

O título deste capítulo traduz claramente minhas impressões sobre metas e investimentos imobiliários. Ter metas não é uma escolha. A determinação das metas é o primeiro passo da jornada. Neste capítulo, você aprenderá a definir suas metas, a identificar as características das metas realistas e a estabelecer marcos intermediários para chegar ao destino. Você compreenderá os benefícios de definir metas e descobrirá como o "poder da meta" pode ser sua chave para o sucesso.

Desde o começo eu tinha uma meta. Queria ser meu próprio chefe. Estava cansado de trabalhar para outras pessoas e estava decidido a iniciar algum tipo de negócio próprio. Reconheço que não defini por escrito minhas metas logo nos primeiros dias e também não conversei sobre elas com muitas pessoas. De fato, eu mal as verbalizei para mim mesmo. Mais precisamente, eu as senti.

Só fui compreender o poder das metas anos depois; a capacidade resultante de ter um objetivo e concentrar todos os seus esforços na sua realização. Isso o torna determinado e empenhado em realizar o seu propósito. O que, em última instância, o leva ao sucesso. Não sei se alguém antes de mim utilizou a expressão "poder da meta". Ela parece transmitir exatamente um fato importante neste momento: ter um objetivo é fonte de poder.

O QUE É UMA META?

É fácil se ater à terminologia. Isso é uma meta? Isso é uma visão? Talvez seja o objetivo? Talvez seja a missão? Neste momento, esqueça tudo isso. E não se preocupe com as definições do dicionário. Minha meta para este livro é torná-lo um best-seller no âmbito da simplificação do processo de investimentos imobiliários, demonstrando-lhe como achar, comprar e administrar imóveis da melhor maneira possível. E eu estou começando bem ao traçar esta meta.

Uma meta é algo que você planeja alcançar

Em termos simples, uma meta é algo que você planeja alcançar. Talvez sua meta seja comprar um imóvel para investimento em um período de doze meses. Ou talvez você queira ganhar US$5.000 por mês , dentro de dois anos. Você poderia ainda estabelecer uma meta bem ousada: ser, em cinco anos, o maior proprietário de imóveis para locação na sua cidade.

Qualquer que seja a meta estabelecida, certifique-se de que é algo que você planeja alcançar. Nada tem menos valor do que uma meta guardada numa gaveta e que nunca se transforma em ação. Isto é apenas sonho. E não existe poder verdadeiro em sonhos, a não ser que os sonhos resultem em ações.

Sua meta deve ser mensurável

Sua meta deve ser mensurável. Minha meta de ser meu próprio chefe não foi realmente uma boa meta. Como eu disse, demorei anos para aprender como estabelecer metas e tomar partido do poder que elas possuem. Uma meta bem melhor teria incluído um tempo limite, ou seja, dentro de um ano vou me tornar meu próprio chefe ou, em níveis quantitativos, ganhar US$75.000 por ano.

As metas vagas são difíceis de alcançar e mais difíceis de sustentar. Se não há limite de tempo, equivalência de dinheiro ou base de comparação, por exemplo, como você saberá que a meta foi alcançada? É praticamente impossível.

Conheço um investidor imobiliário cuja meta é facilmente mensurável: adquirir uma propriedade de duas unidades por ano. Outro possui uma meta de adquirir dez casas por ano. A questão aqui é se as metas são alcançáveis e mensuráveis. Qual será a sua meta?

Sua meta deve ser alcançável

As metas devem ser realistas e factíveis, senão serão colocadas de lado e nunca provocarão ações ou passarão por modificações no meio do caminho para algo mais realista. A última alternativa é aceitável, porém metas altas demais podem suscitar sentimentos de fracasso se não forem atingidas. Por outro lado, elas podem ser estimulantes se, de fato, forem alcançadas.

Pensando bem, minha primeira meta de me tornar meu próprio chefe foi bastante factível. Mas, naquele momento, parecia um sonho ambicioso. Afinal, eu tinha um emprego estável que sustentava meu carro, minha casa e meu estilo de vida. Desistir de todas essas coisas foi assustador, mas eu sabia que era algo que precisava fazer. A meta, ao mesmo tempo em que era grandiosa, não era impossível. E me deu esperança, motivação e desejo de alcançá-la.

ESTABELECENDO SUA META

Estabelecer a meta exige que você seja honesto consigo mesmo e reflita acerca do que realmente quer na vida. Isto significa destinar tempo para pensar sobre o que você quer para você e sua família agora, nos anos seguintes e no futuro. Pode incluir também as aspirações para seus filhos. Se você acha que estabelecer metas neste nível será uma perda de tempo, talvez deva reconsiderar a sua opinião.

Eu aprendi sobre dois fantásticos programas de delineamento de metas por meio do meu envolvimento com uma associação chamada "Organização de Jovens Empreendedores". Eu integro a Divisão do Arizona, e o meu envolvimento tem sido uma das melhores decisões de negócios em minha carreira.

O primeiro programa chama-se "Treinador Estratégico", fundado e aplicado por Dan Sullivan. Este programa é centrado nas "sete leis" voltadas para a experiência de crescimento pessoal contínuo e na ajuda para o desenvolvimento de um plano de vida. O programa realiza encontros trimestrais para avaliar como você está procedendo para alcançar sua meta.

As Sete Leis do Treinador Estratégico de Crescimento para a Vida são:

1. Sempre faça seu futuro ser melhor do que o seu passado.
2. Sempre faça a sua contribuição ser maior do que a sua recompensa.
3. Sempre faça seu aprendizado ser maior do que a sua experiência.
4. Sempre faça seu desempenho ser maior do que os aplausos recebidos.
5. Sempre faça sua gratidão ser maior do que o seu sucesso.
6. Sempre faça seu divertimento ser maior do que o seu esforço.
7. Sempre faça sua confiança ser maior do que o seu conforto.

Existe um outro programa sensacional chamado "Estabelecendo Metas de Família", de Charlie e Barbara Dunlap. Este programa concentra-se em equilibrar seu casamento, sua família e seus negócios. Pense a respeito: Quanto tempo você gasta planejando o seu dia de trabalho? Quanto tempo você gasta planejando sua vida familiar ou o seu casamento? Se você é como eu, planejar o trabalho é a coisa mais importante. Eu passei muito pouco tempo planejando minhas metas de família.

Depois de conhecer Charlie e Barbara Dunlap, construí um sólido plano para meu casamento, minha família e meu trabalho. Agora, o trabalho está em terceiro lugar, atrás do casamento e da família. Quando desenvolvi o meu plano de casamento e de família, eu de fato melhorei como homem de negócios, porque as minhas metas pessoais estavam integradas com minhas metas profissionais.

Charlie e Barbara dizem que suas metas devem ser gerais, mas tratadas de forma específica. Os objetivos para passar no teste "SMART" (esperto, inteligente), acrônimo em inglês de:

"S" specific — Específico
"M" measurable — Mensurável
"A" agreed upon in writing — combinado por escrito
"R" realistic — Realista
"T" time activated — Ativado pelo Tempo

Charlie também se tornou meu mentor pessoal e eu me encontro com ele uma vez por mês. Organizações como "Treinador Estratégico",

"Charlie e Barbara Dunlap" e uma multidão de outras similares matriculam milhares de pessoas anualmente em seus programas. As pessoas estão estabelecendo metas e conduzindo as suas vidas de forma intencional. Se você pensa que é loucura, saiba que existe uma indústria inteira baseada nisso, e pessoas em todos os lugares estão estabelecendo metas para transformar seus sonhos em realidade.

Alguém disse: "uma meta não escrita é um desejo". Eu também ouvi: "Uma meta não é nada mais do que um sonho sem limite de tempo". Eu tomei uma decisão há muito tempo de não arriscar meu futuro em desejos e sonhos. Em vez disso, fiquei mais inteligente e passei a definir metas com a ajuda de pessoas como Charlie e Barbara. Você pode encontrar "Estabelecendo Metas de Famílias" no site ChadDunCo@aol.com.

Estas são as pessoas que estão definindo uma direção para as suas vidas e estão vivendo assim. Com certeza, há obstáculos no caminho e algumas coisas saem do curso — até mudam de direção propositalmente. No entanto, o fundamental é que as metas traçadas dão poder a estas pessoas.

Sua meta poderá evoluir com o tempo

Após alguns anos trabalhando como um dois maiores proprietários da MC Companies no Arizona — a empresa de investimentos imobiliários que meu sócio e eu temos ainda hoje —, comecei a perceber que minha meta tinha evoluído. Eu queria ser mais do que meu próprio chefe: eu queria independência. Independência financeira para poder pôr em prática o que queria fazer na vida, como passar tempo com meus filhos, treinar um time juvenil de beisebol e viajar com minha família. Eu sabia que essas metas só poderiam ser alcançadas com acúmulo de patrimônio. Patrimônio que iria valorizar com o tempo. Então, meu sócio e eu, de forma complementar ao negócio de administração de imóveis, também começamos a investir em imóveis. Hoje em dia, eu tenho uma meta mensurável relacionada à independência financeira. Ainda não a atingi mas estou trabalhando para isso!

Não há nada de errado em ter uma meta que evolua com o tempo, a não ser que você esteja mudando sua meta a cada obstáculo encontrado. Isto se chama esquivar-se. Com o tempo, enquanto você estiver trabalhando para alcançar sua meta, suas experiências o tornarão mais esperto. Você pode ainda enxergar as coisas de uma forma totalmente diferente: sua meta pode ser alterada como resultado de uma nova percepção. Minha primeira meta constituía-se em ser meu próprio chefe. Isto evoluiu para uma meta de independência financeira e, hoje, minha meta é ajudar aqueles que querem fazer o mesmo.

Tenha responsabilidade perante as pessoas

Há poucos anos, quando eu tracei uma meta de entrar em forma, sabia que teria uma chance maior de sucesso se tivesse um parceiro. Você sabe, alguém que encontrasse na academia toda manhã. Alguém que pudesse me incentivar a fazer mais uma série no aparelho de exercício, alguém que estivesse me esperando às 5:30h, mesmo naquelas manhãs em que eu não tivesse vontade de correr. Isto é responsabilidade e é mais fácil alcançar metas quando há uma ou mais pessoas apoiando e encorajando você.

Na MC Companies, eu tenho um sócio, Ross McCallister. Ross e eu ajudamos um ao outro nos mantendo na direção com o nosso planejamento estratégico de cinco anos. Nós também partilhamos o planejamento com a empresa inteira, que tem mais de 150 empregados. Com a inclusão de todas as pessoas nessa visão, todos sabem como se encaixam. Nós também nos responsabilizamos uns aos outros e estamos trabalhando na mesma direção.

As pessoas perante as quais você se responsabiliza podem ser: uma associação de negócio, um amigo, seu marido ou sua mulher ou mesmo seus investidores e empregados. O importante é encontrar alguém que encoraje e apoie o seu empreendimento. Não quer dizer que você esteja procurando uma pessoa que nunca desafie suas decisões. Ao contrário, você está buscando uma pessoa que se baseie na realidade e apoie o seu sonho.

ALCANÇANDO SUA META

Estabelecer sua meta é certamente um importante primeiro passo. Porém, o que você faz depois é o que realmente define o nível de sucesso que irá atingir. Para alcançar minhas metas, tive de fazer quatro coisas muito bem: comunicar, planejar, perseverar e focar. Vamos analisar estes conceitos importantes de forma mais detalhada.

Comunique a sua meta claramente

Se você tem medo da meta, ou seja, medo de contar a qualquer um sua meta caso você não a alcance, supere esse receio. Quando você tiver estabelecido sua meta de fato, depois de tê-la colocado no papel e filmado em sua mente, diga a todos. Fale sobre ela com seu agente imobiliário, com seu procurador, com seus amigos, parentes, parceiros de negócios, em suma, todos. Estas são as pessoas que irão ajudá-lo. E se por acaso ainda não fui claro, repito: metas nunca são atingidas individualmente.

Este é um exemplo de uma meta hipotética:

> Pretendemos adquirir um imóvel de oito unidades na área metropolitana de Phoenix, dentro dos próximos doze meses, que irá gerar no mínimo US$4.000 de renda média anual nos próximos cinco anos.

Isso é uma meta. É mensurável e claramente definida. E, com certeza, atingível. A única coisa que resta é fazer acontecer. Contraste esta meta com outra não inspiradora e não motivadora:

> Eu quero investir em algo ligado ao mercado imobiliário e estou procurando um bom imóvel lucrativo que irá aumentar a minha renda.

Essa meta é extremamente vaga. É difícil de atingir e de executar, mais ainda de comunicar. Mas, infelizmente, é como a maioria estabelece e comunica metas, se é que você pode chamar essa frase de meta. Parece mais um sonho impossível.

Se você compartilhar uma meta, como descrito no primeiro exemplo, com um pequeno número de corretores de imóveis, agentes de empréstimos hipotecários e alguns administradores de imóveis, eu sei que você receberá ligações. Eles trarão oportunidades ao perceberem que você está falando seriamente, que você sabe o que quer e que estabeleceu um limite de tempo. Se você for ao mesmo grupo com a meta descrita no segundo exemplo, eles provavelmente não responderão nada, pois não saberão como fazer. Não há nada palpável. Raramente algumas oportunidades irão aparecer para você; ao contrário, você será forçado a encontrar oportunidades por si mesmo. E dada a subjetividade da meta, você terá muito trabalho pela frente.

A eficácia na comunicação da meta o põe no comando. Na meta do primeiro exemplo, você está no comando. Na meta do segundo, se qualquer corretor de imóveis responder a você, ele lhe oferecerá imóveis que são de interesse dele vender, não necessariamente os que representam boas oportunidades de compra para você. Esta é uma posição perigosa.

Você saberá se suas metas são concretas ouvindo a si próprio. Se você se encontrar falando frases como "Se você ouvir alguma coisa, me avise..." ou "Diga-me se você achar algo que pareça legal...", então você precisará definir melhor sua meta. Estas frases são sinais de que sua meta está muito vaga.

Planeje e defina os marcos

Assim que você tiver definido uma meta clara, sentirá a necessidade de definir o caminho para alcançá-la. Isso significa esboçar o plano e estabelecer os marcos a fim de identificar os passos importantes durante o caminho.

Dois marcos fundamentais se relacionam com o comportamento pessoal e com a independência financeira.

Que comportamento devemos mudar ou eliminar?

Comportamentos a serem mudados

Seguir o mesmo itinerário para o trabalho todo dia

Perder muito tempo no almoço

Assistir televisão todas as noites

Mudando esses três comportamentos simples, você está definindo marcos que o ajudarão a alcançar sua meta. Seguir um itinerário diferente para o trabalho oferece novos cenários e o ajuda a conhecer o mercado imobiliário e maior variedade de imóveis. Isso o ajudará a compreender os padrões do trânsito, além de oferecer novas perspectivas em novas áreas. Usando somente a metade do tempo que você passa no almoço, a outra metade fica livre para fazer ligações telefônicas, encontrar com sua equipe e até visitar propriedades. E no caso de você ser uma pessoa ligada a números, meia hora a cada dia da semana adiciona a você dez horas por mês!

Finalmente, eliminando a televisão, ou ao menos reduzindo o tempo destinado a ela, irá liberar muitas horas à noite para trabalhar no seu negócio. Observe seus comportamentos e modifique-os para alcançar suas metas.

De quanto você precisa para conquistar sua independência financeira e o que está fazendo para isso?

Lista de afazeres para conquistar a independência financeira

Calcule o total de suas despesas pessoais
Determine o que pode ser reduzido ou eliminado
Apure quantos imóveis serão necessários para gerar essa receita

Ao longo dos anos, estabeleci um sistema que uso a toda hora. É o sistema adotado neste livro. Você também deve comunicar os marcos com clareza à sua rede de parceiros de negócios e a todos aqueles que você conhece. Você nunca sabe quem será aquele que lhe oferecerá a oportunidade de adquirir o imóvel perfeito. Assim, quanto mais detalhes você divulgar logo de início, mais as pessoas poderão ajudá-lo a atingir suas metas

Lista de afazeres para montar um negócio

Forme sua equipe
Avalie o mercado
Descubra um ótimo imóvel
Avalie o imóvel
Desenvolva um plano para o imóvel
Elabore o orçamento
Administre o imóvel

Use essa lista para ajudá-lo a mapear as suas metas. Seja honesto consigo mesmo e escreva aquilo que realmente planejou realizar.

Perseverança e garra rompendo todos os obstáculos

Se você nunca participou de nenhum empreendimento ou se você nunca construiu alguma coisa a partir do zero, então tem consciência de que essas tentativas são duas vezes mais demoradas do que se imagina, requerem o dobro de trabalho e custam bem mais do que se espera. São fatos inevitáveis e nunca me surpreendo quando se confirmam. Todo projeto traz consigo obstáculos. Coisas que fazem o trabalho dar trabalho, se você quiser olhar dessa forma. Ou coisas que mantêm o trabalho interessante. Eu prefiro a segunda.

Em Portland, a aquisição de nosso prédio de frente para o mar será, sem dúvida, um grande investimento. O imóvel está localizado próximo ao rio Willamette e, como mencionei anteriormente, parte do prédio está construída no píer. O projeto inteiro possui mais de 300 unidades. Não há nada parecido em toda a cidade. Parece um sonho. Bem, desde o começo muitas pessoas podiam ter visto o sonho mais como um pesadelo. Enfrentamos todos os tipos de problemas, desde deficiências de manutenção até inadequações estruturais. Poderíamos ter deixado esses obstáculos e dezenas de outras barreiras impedirem o fechamento do negócio. Mas nós sabíamos, no íntimo, que esse imóvel justificava o esforço. Valeria a pena superar cada um dos obstáculos. Buscamos soluções e investimos o dinheiro necessário para que este surpreendente projeto atingisse todo o seu potencial.

Em se tratando de investimentos imobiliários, a expressão "onde houver um desejo, haverá um caminho" nunca foi mais significativa.

Mantenha seu foco

Existe uma coisa engraçada sobre metas e sucesso. Quanto mais você se aproxima de sua meta e maior é o seu sucesso, mais oportunidades aparecem. A toda hora você encontrará imóveis aparentemente muito bons e topará com outras oportunidades de negócios que prometem aumentar sua receita. As "coisas certas" surgirão nas horas mais inesperadas.

Ao menos, isso foi o que aconteceu, e ainda acontece, comigo. Todas essas oportunidades são ótimas, porém você não pode deixar que elas o desviem de sua meta.

Eis o meu exemplo. Depois de montado nosso negócio de administração de imóveis, começamos a procurar outros meios para aumentar nossa receita. Decidi montar uma empresa de limpeza de carpetes. Fazia sentido naquele momento, uma vez que tínhamos centenas de apartamentos com carpetes para serem limpos. Por que aquele negócio deveria ir para outra empresa? Esta lição única me custou um quarto de milhão de dólares. Porém, mais que o dinheiro, desviou o meu olhar de minha meta no mínimo por um ou dois anos. Isso diminuiu o ritmo do crescimento. Nossa empresa poderia ter alcançado a meta mais rapidamente se não tivéssemos dispersado nossos recursos. Acho que devo dizer que aprendi mais de uma lição com esse erro.

Da forma como as oportunidades se apresentam, pergunte a si mesmo: "Quantas bolas eu consigo equilibrar? Se eu entrar nesse projeto, posso equilibrar mais dez bolas no ar?". E mais importante, entrando neste projeto, estarei me aproximando de minha meta?". Se sua meta é comprar um imóvel de oito apartamentos e ganhar em média US$4.000 por ano nos próximos cinco anos, será que um bom negócio numa residência unifamiliar irá aproximá-lo de sua meta? Não. De fato, irá desviar sua atenção da meta original, além de não proporcionar a você uma renda líquida de US$4.000 por ano, nos próximos cinco anos. Se você está comprometido com sua meta — e deveria estar —, às vezes precisa rejeitar grandes negócios que não se encaixam nela. Foco é igual a disciplina.

Estabelecer uma meta não é uma opção; é um requisito para o sucesso. Quanto mais cedo você estabelecer sua meta, mais rápido estará pronto para dar o próximo passo — formando sua equipe.

Passos de Ação do Capítulo 2

- Compreenda e acredite no poder da meta como meio de realizar seus sonhos.
- Estabeleça uma meta para o seu negócio de investimentos imobiliários.
- Supere o medo da meta; em outras palavras, o medo de falar com os outros sobre sua meta e depois fracassar.
- Encontre alguém por quem você possa ser responsável.
- Converse com todo mundo sobre sua meta.
- Defina marcos, os pequenos passos para alcançar sua meta.
- Converse com todo mundo sobre seus marcos.

CAPÍTULO 3

É preciso ter uma equipe

Quem foi que disse "Nenhum homem é uma ilha"? Não importa quem, mas bem poderia ter sido no século XXI, porque atualmente não fazemos nada sem a ajuda de outras pessoas. Até quando estrelas de cinema ganham o Oscar, elas nunca se dirigem ao pódio, encaram a plateia, sorriem e dizem "Obrigado, eu sou maravilhoso por ter feito tudo isto sozinho". Pelo contrário, elas praticamente têm de ser expulsas do palco enquanto agradecem a centenas de pessoas pela ajuda em todo o caminho percorrido.

Bem, no negócio de investimentos imobiliários, você não pode arcar com o ônus de ser um cavaleiro solitário. De fato, é impossível realizar sua meta sozinho, independentemente de qual seja ela. E ninguém está esperando isso de você. Muito pelo contrário. Nós estamos esperando que você construa uma extensa rede de relacionamentos e uma equipe unida — seus mais valiosos recursos.

POR QUE TER UMA EQUIPE?

Possuir uma equipe de peritos à disposição não é de graça e também não é barato. Estas são as duas maiores razões pelas quais muitos investidores inexperientes cometem um erro elementar: tentam fazer quase tudo sozinhos. Obviamente eles podem economizar alguns dólares em um primeiro momento, mas certamente perdem mais adiante. Sem peritos em sua equipe, os negócios demoram mais tempo para ser encontrados, avaliados e fechados. Então, aí residem o valor do seu tempo e a perda de oportunidades valiosas. Pessoas que atuam sozinhas perdem detalhes que peritos enxergariam em minutos, como cláusulas ausentes em contratos, defeitos óbvios de construção e centenas, senão milhares, de outras questões que os peritos poderiam ver de imediato.

Uma equipe de peritos a seu lado significa que você terá menos surpresas quando enfrentar dificuldades na compra e na administração de um imóvel. Surpresas são maravilhosas em aniversários, mas as que vêm de investimentos em propriedade não são frequentemente bem-vindas.

CASO DA VIDA REAL

Um investidor de Seattle decidiu seguir sozinho e nos chamou logo depois de ter comprado um prédio de cem apartamentos, solicitando nossa ajuda para gerenciá-lo. A palavra-chave aqui é "depois". O imóvel ficava em Phoenix e ele não tinha absolutamente nenhum plano de implementação. Nunca entrara nos apartamentos; nunca chamara ninguém para indagar qual a composição dos moradores e nunca checara que tipo de vizinhança a propriedade possuía. Quando conversamos com ele, ficou óbvio que nenhuma pesquisa fora feita, nem mesmo no imóvel; ele comprou de olhos fechados. O imóvel estava em péssimo estado — uma forma gentil de dizer que deveria ser considerado impróprio para moradia — e, pior que isso, estava cheio de membros de gangues. Até o Departamento de Polícia de Phoenix estava instruído a nunca entrar sem uma equipe de cobertura.

A preguiça inicial desse homem custou-lhe muito dinheiro. Não sei bem o motivo, mas aceitamos o contrato de administração desse imóvel e o preço final foi muito elevado para restabelecer as condições de habitabilidade do prédio. Contratamos profissionais de todos os tipos. Enviamos ordens de despejo que praticamente esvaziaram todo o lugar, somente para nos livrar das pessoas indesejáveis. Isto significou para o proprietário meses de redução significante de renda e elevados custos de marketing para alugar todo o imóvel. Foi um transtorno que durou quase um ano. Se este homem tivesse tido o discernimento de formar uma rede de relacionamentos em Phoenix antes de comprar o imóvel, teria sido convencido a não fazer o negócio ou o teriam advertido de todos os problemas, para que ele pudesse estabelecer um plano de recuperação adequado.

Este é apenas um exemplo. Existem milhares de outros. O ponto aqui é o seguinte: o investidor sábio planta primeiro para colher os frutos depois. Os honorários que poderiam ter sido pagos pelo dono da propriedade de Seattle a uma equipe de Phoenix, que teria visitado o imóvel e redigido um ou dois relatórios, eram insignificantes se comparados com o que ele gastou para melhorar as condições do negócio. Identificando o trabalho logo de cara, os custos de reforma do imóvel teriam sido claramente considerados no preço sugerido pelo vendedor. Forme sua equipe agora. Você economizará dinheiro e estará preparado para qualquer obstáculo que encontrar ao longo do caminho.

E aqui vai mais uma recomendação. Muitas vezes, é a equipe que você estabelece que se torna a base de toda a sua rede de relacionamentos: pense nela como a sua linha da vida. Sua equipe não só o ajudará nos negócios atuais, como também a toda hora lhe oferecerá outras oportunidades de investimentos imobiliários — especialmente se você tiver comunicado com nitidez a sua meta, como mostramos no capítulo anterior. Não há necessidade de fazer todo o trabalho sozinho. Você precisa de peritos. Eu venho fazendo isso há anos e ainda confio na minha equipe. Não faço negócios sem eles.

MEU CUNHADO É CONTADOR

As pessoas têm diferentes opiniões sobre sociedade com parentes. Umas dizem: "Vá em frente e bom proveito". Outras afirmam: "Fuja disso como o diabo da cruz". Eu me situo em algum lugar entre os dois extremos. Acredito que ter parentes em sua equipe ou associar-se a eles seja uma boa ideia, se sua decisão for consciente e você souber o que está fazendo. Você deve entrar numa situação dessas com os olhos bem abertos, porque, encaremos a situação: a ceia de Natal vai chegar. Diversas famílias podem ser capazes de misturar relacionamentos de negócios com relacionamentos pessoais e lidar bem com isso. Outras não dominam tal arte. Somente você sabe onde sua família se encaixa.

Ter parentes em sua equipe envolve prós e contras, conforme a seguir:

Os prós e os contras de trabalhar com parentes

Prós:

- É fácil. Este é definitivamente o caminho mais fácil. Se o meu cunhado é contador, esse serviço está resolvido. Não necessito perder tempo buscando em outro lugar.
- Mantém a paz. Em algumas famílias, hostilidades podem ocorrer se você *não* utilizar o trabalho de parentes.
- Baixo custo, ou nenhum custo. Muitas vezes, parentes oferecem seus serviços sem custo algum.

Contras:

- Perda de objetividade. É desagradável ter as conversas difíceis, necessárias nos negócios, com um parente e ter de cumprimentá-lo no jantar no dia seguinte.
- Perda do poder de barganha. Eu avalio impostos e honorários com todos os meus fornecedores; isso é difícil quando se trata de parentes.
- Perda de relacionamentos. Famílias se destroem em virtude de maus relacionamentos de negócios.

Qualquer que seja o caminho escolhido — empregar o talento dos parentes ou não —, saiba que seu grau de sucesso será diretamente proporcional ao seu grau de integridade. Pessoas gostam de trabalhar com gente justa e honesta. Este livro e os métodos aqui contidos se baseiam em tais valores. Domine-os e eu garanto que você dormirá melhor à noite e, não surpreendentemente, haverá uma fileira querendo trabalhar com você.

SÓCIOS — UMA COISA BOA OU UMA IDEIA RUIM

Na MC Companies, meu sócio, Ross, e eu estamos juntos desde o primeiro dia. As habilidades dele e as minhas se encaixam perfeitamente. Ele lida com construção civil e incorporações imobiliárias e eu, com o gerenciamento e as operações. Nós dois realizamos as aquisições e, juntos, trazemos para o negócio uma perspectiva única. É um ótimo relacionamento e, em razão do respeito e da honestidade mútuos, isto funciona. Nós também impulsionamos um ao outro, como já recomendado. É ótimo ter alguém perante quem você se mostra responsável. Nós conseguimos realizar muito mais juntos do que teríamos feito sozinhos.

Qualidades de uma boa sociedade

Algumas sociedades destinam-se ao sucesso, enquanto outras estão condenadas ao fracasso desde o começo. O que faz uma sociedade funcionar ou não? Aqui vão algumas qualidades que as boas sociedades têm em comum:

- Debates saudáveis: você deve ter espaço para debater antes da tomada de decisões.
- Mente aberta: você não tem que gastar um tempo valioso tentando convencer seus sócios de suas metas.
- Comprometimento: você deve estar comprometido com o outro e com suas metas.
- Valores parecidos: você e seu sócio devem partilhar os mesmos valores.
- Responsabilidade: você e seu sócio devem impulsionar um ao outro, a fim de alcançar os objetivos e gerar responsabilidade mútua.

Estas qualidades irão guiá-lo no estabelecimento da sociedade no seu negócio. Agora, vamos dar uma olhada em como se associar a outras pessoas que estão fora do seu negócio: formando sua equipe.

SUA IMPORTANTE EQUIPE

A lista a seguir inclui todas as pessoas e os profissionais que você precisará ter na equipe e mostra como avaliá-los e selecioná-los.

A lista pode parecer avassaladora, mas compreenda que você deve acumular os contatos com o passar do tempo, e você não precisa de todos em todas as horas. Não há necessidade de sair correndo para entrevistar empresas de pavimentação, por exemplo, quando você não possui um lote de estacionamento que necessite de novo revestimento. Você precisa somente de membros-chave para iniciar — um advogado, um corretor de imóveis e um administrador de imóveis. No entanto, aqui está uma lista completa para deixá-lo preparado.

Sua equipe de negócios

Antes de você fazer qualquer coisa, antes mesmo de imprimir seus cartões de visita, monte seu negócio corretamente. Para tanto, você precisa conversar com um advogado que o oriente sobre a constituição de sua empresa. Você deve formar uma sociedade anônima, uma sociedade limitada ou outro tipo societário? Você precisa conhecer os prós e os contras de cada uma para tomar a decisão correta. Independentemente da escolha, uma empresa formalmente constituída protegerá seus ativos pessoais e oferecerá vantagens tributárias. Se você precisar de mais informação antes de escolher sua própria equipe de negócios, deve entrar em contato com:

- Seu próprio advogado. Você precisa desse profissional para registrar a empresa nos órgãos próprios. Existem mecanismos que permitem fazer isto sozinho, porém, a não ser que você saiba muito bem o que está fazendo, eu não os recomendo.
- Seu próprio contador. Esta pessoa está apta a dar conselhos sobre impostos baseando-se em sua situação financeira pessoal.

A equipe de busca de imóveis

Essa equipe inclui pessoas que você provavelmente deve encontrar por si próprio. Eu recomendo entrevistar diversos profissionais de cada área até encontrar pessoas de quem você goste, que conheçam o mercado, que tenham o mesmo nível de integridade e que compreendam que estão ali para ajudá-lo a alcançar sua meta. Esses dois profissionais também podem auxiliar a formar o resto da sua equipe:

- Corretor de imóveis. O corretor de imóveis o ajuda a compreender o seu mercado e a encontrar imóveis.
- Administrador de imóveis. Esse profissional o ajuda na avaliação do imóvel, por meio de uma perspectiva operacional. Ele dá a você uma sólida ideia do empreendimento.

A equipe de oferta

Sua equipe de busca de imóveis provavelmente encaminhará algum ou todos esses profissionais à medida que você for precisando. Eis aí outra razão da importância da boa escolha do corretor de imóveis e de seu administrador de imóveis. Eles determinam o andamento de toda a sua equipe e, consequentemente, de toda a sua experiência de trabalho. Escolha com sabedoria.

- Advogado. Seu advogado, sem dúvida, o ajudará a estruturar seu negócio e a superar as dificuldades por meio de cartas de intenção e de contratos de compra e venda.
- Financiador ou Corretor de Hipotecas. Encontre um financiador ou um corretor que conheça o negócio de investimento em imóveis. Ele não somente emprestará o dinheiro, como também dará dicas de outros imóveis à venda.
- Investidores. Ao divulgar as suas metas e formar a sua equipe, você também descobrirá várias fontes de recursos próprios, que irão considerar a hipótese de investir em seus empreendimentos para locação.
- Empreiteiras. Enxergam coisas que eu e você não vemos quando percorremos o imóvel. Antes de eu assinar qualquer negócio, o empreiteiro realiza uma inspeção detalhada e faz um relatório de todos os reparos críticos e não críticos.

Outros membros da equipe

Periodicamente, você pode precisar que outros profissionais deem assistência em projetos que surgem quando você está considerando uma propriedade ou se já a possui. Assim como os profissionais da lista acima, estes membros da equipe chegarão a você por meio de recomendações.

- Contador. Seu contador irá ajudá-lo não somente com suas próprias finanças de negócios, mas também com projeções de lucro e prejuízo para os imóveis em questão.
- Avaliador. Um avaliador é um membro importante da equipe e deve ser a pessoa especializada em todos os mercados e tipos de imóveis

que você estiver focando. Esse profissional irá ajudá-lo a determinar o valor da propriedade antes e depois da venda.

- Arquiteto. Algumas propriedades precisam de mais do que uma nova pintura para ficar em boas condições. Um arquiteto pode ajudar você com ideias novas e recomendações para melhorar a imagem do imóvel visto da rua e o desempenho da operação.
- Corretor de seguros. Ao tornar-se proprietário do imóvel, o corretor de seguros o ajudará a protegê-lo contra riscos, por meio da cobertura adequada, o que é fundamental quando se adquire um imóvel.
- Especialista em imposto predial e territorial. Trata-se de algo inevitável nesse negócio e um profissional especializado pode assegurar que seus impostos sejam calculados da maneira certa e justa.
- Especialista em imposto de renda. A legislação do imposto de renda é complicada e é sempre bom ouvir o conselho de alguém que trabalhe no ramo e que esteja atualizado quanto às normas vigentes.
- Planejador de espólios e sucessões. À medida que seus ativos imobiliários crescem, um planejador de espólios e sucessões pode ajudá-lo na proteção e na transferência deles, em caso de doença ou morte.
- Especialista em proteção ambiental e em resíduos industriais. Se você suspeitar de fungos, asbestos ou qualquer outro risco ambiental, irá precisar de um desses profissionais no processo de teste ou remoção.
- Agrimensor. Se você estiver recuperando um imóvel com área mais extensa, pode precisar dos serviços de um inspetor para calcular linhas de fronteira, elevações e outras coisas importantes.
- Engenheiro de Estrutura. Seu construtor civil pode encontrar um problema que põe em risco a integridade estrutural do prédio. Chame um engenheiro estrutural, o qual, após uma análise do problema, recomendará uma estratégia adequada à sua reparação.

Equipes são apenas isso: pessoas que trabalham juntas para ver o trabalho realizado. Elas devem estar a seu lado e ter consciência de que, se você for bem-sucedido, elas também serão. Continue procurando até encontrar pessoas cujas metas e respectivos métodos de negócios se encaixem com os seus.

Passos de Ação do Capítulo 3

- Compreenda que é preciso ter uma equipe para ser bem-sucedido nesse negócio.
- Determine se você deseja ou não ter um sócio.
- Avalie os candidatos a sócio baseando-se nas qualidades de uma boa sociedade.
- Estabeleça primeiro sua equipe de negócios: um advogado e um contador.
- Comece a tecer a rede de relacionamentos para achar outros membros para sua equipe: a equipe de busca de imóveis, a equipe de oferta e outros profissionais necessários periodicamente.

CAPÍTULO 4

Pesquisar pode ser divertido

Nos Seminários do Pai Rico, de Robert Kiyosaki, dos quais muitas vezes participo como palestrante, sempre me perguntam como descubro boas oportunidades de investimentos imobiliários. Essa deve ser a pergunta mais comum, e por uma boa razão. É como procurar "agulha num palheiro" — expressão que descreve muito bem todo o esforço — ou ao menos é o que parece, sobretudo para os iniciantes. Você procura no jornal, pega os anúncios de empresas do mercado imobiliário, checa a internet, sai com o carro à procura de oportunidades? Parece que tudo é deixado ao acaso. Verdade seja dita, existe muita informação disponível sobre imóveis e muitas maneiras de obter estas informações. Talvez maneiras demais. Saber quais são os recursos importantes e como acessálos ajuda você a economizar tempo e previne frustração.

Neste capítulo, irei revelar uma estratégia de pesquisa sem a qual você simplesmente não pode viver. Por meio da minha experiência em compra de imóveis em mercados desconhecidos, você verá como esse método de pesquisa funciona e o que você pode ganhar com ele. Não há truque algum. Basta se divertir, estar aberto a informações disponíveis sobre o seu mercado, conhecer onde procurar e se comprometer.

Pesquisar um mercado pode ser muito parecido com uma pesquisa preliminar para um trabalho de faculdade. Talvez você se lembre da sensação de entrar na biblioteca pela primeira vez. Olhar em volta para todos os livros, revistas, bases de dados de computador e microfilmes (se você for velho como eu) era assustador. Você sabia que a informação procurada estava lá, em algum lugar; o problema era encontrá-la e entendê-la. Seu primeiro trabalho é sempre o mais difícil. No entanto, uma vez familiarizado com as melhores fontes de consulta, os trabalhos seguintes ficam cada vez mais fáceis (bem, ao menos isso foi o que me falaram). Meus professores da faculdade estariam orgulhosos de mim hoje em dia, porque finalmente aprendi como se faz pesquisa. E eu aprendi como se faz de forma bem divertida. Nós nos divertimos fazendo pesquisa de mercado e de imóveis porque pesquisa para mim não é nada além de usar os recursos disponíveis para obter informações sobre determinado assunto. Nesse negócio, isso significa conversar com as pessoas, percorrer a área, conhecer os pontos turísticos — até na sua própria cidade. Até parece turismo, não é? Bem, pode ser. Então, vamos decolar!

As técnicas de pesquisa descritas neste capítulo ajudarão você de três maneiras. Primeiro, elas oferecem uma visão sucinta dos vários mercados e segmentos de sua cidade. Quanto mais cuidadosa for a sua pesquisa, mais nítida será a visão do mercado. E nos capítulos adiante, você entenderá por que uma visão nítida ajuda a poupar tempo e dinheiro mais tarde. Segundo, essa pesquisa mostra como o mercado irá influenciar seu investimento em imóveis. E, terceiro, você pode até ser sortudo o suficiente para encontrar dicas de imóveis durante a fase de pesquisa (mas não conte com isto). O mais importante fruto do seu esforço é a visão de mercado. Os imóveis virão depois.

Eu classifiquei as pesquisas em três categorias de fácil definição e compreensão. Você encontra a descrição de cada categoria nas seções a seguir.

PESQUISA NÍVEL UM

É o que chamo da parte muito preliminar. Para realizá-la, você nem precisa sair de casa. É a pesquisa que você faz antes de colocar os pés no imóvel, ou como no caso da história verdadeira de nossa aquisição daquele imóvel de vista para o mar em Portland, Oregon, antes mesmo de pisar na cidade. Você deveria saber que nós não tiramos Portland de "dentro da cartola". Antes de nos fixarmos em Portland, nossa meta era realizar pesquisa nível um em todos os maiores mercados do Oeste dos Estados Unidos. Estava na hora de expandirmos o alcance de nossa empresa, e a questão era para onde ir. Uma das primeiras atitudes que tomamos foi olhar para todos os jornais e periódicos de negócios em todas as cidades do Oeste dos Estados Unidos, usando a internet. Nós seguimos os hiperlinks de todas as oportunidades interessantes.

Por exemplo, quando nós digitamos uma cidade como Denver em um site de busca, surgiu uma matéria sobre crescimento populacional. Seguimos este link. Então, como parte da matéria, havia um link sobre crédito educativo. Nós seguimos esses links. O que nós encontramos foi muito interessante, especialmente em Portland. Primeiro, descobrimos que a cidade tinha um limite de crescimento urbano. Isso nos fez visualizar uma certa restrição da oferta de imóveis para locação no futuro. Isto é uma coisa boa! Em seguida, descobrimos que a cidade de Portland estava progredindo no seu planejamento do centro da cidade, e também no que se referia aos transportes como trens, sistema de ônibus, sistema de táxis, sistema de bondes e até planos para um futuro táxi aquático no Rio Willamette. Nós também achamos que havia uma grande demanda para morar e trabalhar no centro da cidade e que o cenário de empregabilidade do centro da cidade era favorável. Estávamos começando a ter nossa visão de mercado. Parecia bom.

Então, começamos a desvendar algumas limitações da cidade. Um ponto negativo era o nível de desemprego do estado, o mais alto do país, com um gigantesco índice de 8,1%. Isto foi um importante achado porque, quando vimos aquele grande número comparado com o desemprego no centro de Portland, concluímos que a única oportunidade seria o centro da cidade ou possivelmente alguns poucos subúrbios. Além do mais, a região do centro da cidade estava praticamente toda construída e tinha ainda uma grande restrição de oferta em relação ao resto da área metropolitana. Nosso trabalho não seria fácil.

Achamos todas essas informações em menos de um dia, sentados à minha mesa em Phoenix, Arizona. Embora houvesse alguns pontos negativos em relação ao mercado, no conjunto nós estávamos bastante surpresos e bem impressionados com Portland. Nada se parecia com nossas expectativas: havíamos imaginado que se tratasse de um lugar em que as empresas estavam demitindo em massa, em consequência da recessão nos setores madeireiro e agrícola, além de outros problemas econômicos sérios, inclusive a queda no mercado de ações e o pessimismo decorrente do desastre de 11 de setembro, que havia ocorrido apenas quatro meses antes. Nossa concepção inicial da área baseou-se na imagem transmitida pela mídia. E pode acreditar: estávamos errados.

Nós vimos Portland como uma cidade em crescimento, caracterizada pela qualidade de vida e com planos de longo prazo para a construção de uma comunidade maravilhosa para o presente e para o futuro. Nós também descobrimos que o centro de Portland era um dos lugares menos baratos para se viver no noroeste.

Portland era um "saco de gatos", mas os pontos negativos não nos assustavam. Em mercado imobiliário, você já deve ter ouvido a expressão "compre barato e venda caro". Na maioria dos casos, as oportunidades de comprar barato ocorrem quando a economia está em crise e a imprensa se dá bem, alimentando o pessimismo. Assim era Portland.

O ponto aqui não é vender Portland para você, mas apenas mostrar que nós nunca saberíamos nada disso se não tivéssemos decidido realizar a pesquisa nível um naquela área. Nós nunca teríamos descoberto que o centro de Portland era um mercado com um bom índice de emprego, encontrava-se em crescimento, tinha um elevado custo de compra de casa própria e que havia uma grande demanda pelo local. Isso era uma boa notícia para investimento em imóveis para locação, contrariando o cenário descrito pela imprensa.

Nós sabíamos que uma visita ao local valeria a pena.

PESQUISA NÍVEL DOIS

Ao chegar a Portland, deparamo-nos com um mercado em que não conhecíamos ninguém. No entanto, estávamos preparados para conduzir a pesquisa nível dois assim que chegássemos lá. Isso nos possibilitaria desenvolver uma equipe que pudesse ajudar na compreensão do mercado e talvez ainda nos orientar na busca do imóvel certo. A pesquisa exerce um papel importante em relação à escolha do mercado e também no que diz respeito à procura das pessoas que irão ajudá-lo a fazer as coisas acontecerem.

A pesquisa nível dois refere-se a um encontro pessoal e nós não perdemos tempo. Ainda antes de viajarmos, fizemos algumas ligações telefônicas para agendar encontros com administradores de imóveis, corretores e financiadores de imóveis comerciais, funcionários públicos e pessoas de negócios, como, por exemplo, o editor da publicação local sobre apartamentos. Quando chegamos, encontramos cada um deles. Em primeiro lugar, eles estavam encantados com o nível e a profundidade do nosso conhecimento sobre a área. Eles afirmavam as coisas que presumíamos reais e nos corrigiam quanto às suposições equivocadas. Por exemplo, eles confirmaram nosso pressentimento de que a oferta limitada de moradia no centro de Portland era maior do que em qualquer outra área da cidade. Também disseram que havia grande demanda por viver e trabalhar na cidade. E ainda afirmaram que o centro da cidade não era somente uma área vibrante para a comunidade que ali vivia, mas um local atraente para pessoas que viviam em outros locais por causa de suas feiras aos sábados, festivais de jazz, eventos de feriados, centro de convenções, Jardim de Rosas etc. Era um verdadeiro centro de cidade.

Porém, não acertamos tudo com a nossa pesquisa nível um. As pessoas que conhecemos nos surpreenderam delineando um quadro mais desfavorável em relação às áreas afastadas do subúrbio do que nós mesmos imaginaríamos. Havia mais construções e também maior disponibilidade de terras do que havíamos previsto. A Nike e a Intel tinham grande presença lá; não havia outro empregador de porte. O quadro total era claramente arriscado.

Foi durante essa época que nós realmente começamos a focar em nosso segmento. Em qualquer recessão econômica, é sempre inteligente estar no mercado que irá se reerguer primeiro. Isto vale sempre para qualquer que seja o negócio: mercado de ações ou mercado imobiliário. Então, observamos diversos segmentos e chegamos à conclusão de que o centro de Portland era o mais forte nesse sentido e seria o primeiro a reagir, baseando-nos na simples regra econômica de oferta e demanda, na diversificação da base de empregadores e na falta de moradia a custo razoável. Compreendemos que, com a volta por cima da economia, o mercado do centro da cidade seria a primeira área a reagir.

Durante todas as nossas conversas, deixamos clara a nossa meta — comprar um conjunto de prédios com 200 ou mais unidades — e fazíamos uma série de perguntas, como: Na opinião deles, quem eram os melhores profissionais em administração de imóveis? Que advogados recomendariam? Conheciam um bom contador? Nós pedimos recomendações a todos os membros da equipe listados no capítulo anterior. Assim, quando partimos dois dias depois, possuíamos um cenário claro do mercado e tínhamos concentrado nossa pesquisa em segmentos viáveis.

Obtivemos algumas boas dicas para formar a nossa equipe e informações acerca de diversas propriedades que tinham valor potencial. Também conhecemos os pontos turísticos, jantamos maravilhosamente bem e, de forma geral, aproveitamos bem nosso tempo em Portland.

PESQUISA NÍVEL TRÊS

Quando retornamos ao Arizona, sabíamos que Portland era uma oportunidade de investimento. Entretanto, ainda precisávamos de um pouco mais de informações para nos sentir confortáveis e tomar alguma atitude. É aí que entra a pesquisa nível três. Primeiro, ligamos para a equipe recomendada e fizemos as mesmas perguntas dirigidas aos nossos contatos iniciais em Portland. Eles não só nos deram suas opiniões e percepções, como também nos indicaram inúmeros websites, periódicos de analistas, escritórios de desenvolvimento econômico, contatos no governo do município e executivos de negócios de Portland que podiam oferecer os toques finais para nosso cenário, bem como nos colocar a par dos acontecimentos na área durante o tempo necessário. A partir de então, descobrimos quem deveria fazer parte de nossa equipe.

Nós nos inscrevemos em periódicos gratuitos na internet, entramos na lista de e-mail e mala direta de agentes imobiliários, corretores comerciais, agentes de empréstimos e outros profissionais úteis. Dessa forma, nos mantínhamos por dentro dos acontecimentos e conectados à rede. Não precisamos mais sair em busca da informação; uma grande quantidade dela vem automaticamente até nós.

Durante todo o processo, nós nos sentimos como detetives seguindo as pistas e analisando as provas para chegar a uma conclusão. Envolvendo outras pessoas no processo, conseguimos sustentar nossa objetividade e manter nossa perspectiva. Tudo isso tomou nosso tempo. Nossos maiores custos eram nossas passagens aéreas econômicas no Alaska Airlines e a utilização de suítes por uma noite na Quinta Avenida. Seja como for, estamos falando de trocados. E, o melhor de tudo, não pagamos nada pelas informações que recebemos durante o processo. Acima de tudo, foi divertido. Por que você não pode fazer isto?

Por fim, nossa visão de um conjunto de apartamentos evoluiu para um projeto de transformação de um condomínio. A pesquisa realizada descolou nossa visão de um projeto elementar para um extraordinário.

Nós estávamos prontos para reincorporar uma área, eliminar suas deficiências e dar à cidade e às pessoas o que elas queriam.

Eu não compro nada sem pesquisar o mercado primeiro. Mesmo em Phoenix, mercado que conheço extremamente bem, eu pesquiso antes de comprar qualquer coisa. Tudo muda, mercados e segmentos entram e saem de moda, grandes projetos como estradas alteram os padrões de fluxo da cidade. Existe sempre alguma coisa acontecendo.

Atualmente, graças à internet, pesquisar é fácil e praticamente não toma muito tempo. Tudo está na rede e disponível. Comparando com a dificuldade de pesquisa do primeiro trabalho de faculdade, isto é uma moleza. E nunca foi tão fácil tirar dez.

Passos de Ação do Capítulo 4

- Familiarize-se com os recursos disponíveis na internet como:
  - → Jornais
  - → Publicações de negócios comerciais
  - → Websites governamentais
  - → Organizações comerciais
- Perceba que os funcionários do governo e as pessoas de apoio trabalham para você e dispensar-lhe bom atendimento faz parte do trabalho deles.
- Teste suas habilidades de pesquisa – veja quanta informação você pode achar sobre sua cidade:
  - → Na internet
  - → Em encontros pessoais
  - → Em acompanhamento de ligações telefônicas

Capítulo 5

Brejo à venda

Da próxima vez em que você se dirigir para o trabalho, levar seu filho à escola ou percorrer a estrada pela qual já passou centenas de vezes, olhe para os lados. Aproveite para realmente observar a paisagem à sua volta. Eu viajo pelas mesmas estradas todos os dias, como você. Eu acho que conheço a área e você provavelmente pensa o mesmo. Afinal, você passa todos os dias pelas mesmas casas, as mesmas lojas, os mesmos prédios de apartamentos, os mesmos prédios de estacionamento, não é? Bem, cuidado. Esse tipo de conhecimento complacente, o conhecimento que você adquire ao passar pelo local, pode ser perigoso quando é utilizado para investimentos imobiliários. As primeiras impressões e aparências externas de cidades e dos bairros — também chamadas de mercados e segmentos — podem ser traiçoeiras. Da mesma maneira, comprar qualquer coisa em um mercado desconhecido pode ser arriscado.

Você talvez já tenha ouvido falar, e é verdade: muitos compradores ingênuos compram "brejos" no sentido figurado do termo, ou seja, imóveis sem valor. Toda cidade tem seus brejos. Você sabe, é aquele investimento imobiliário que suga todos os seus recursos e não oferece nada em troca. E sejamos honestos, empreender em territórios desconhecidos é muito mais desafiador com pessoas querendo tirar vantagem dos outros.

Se temos algo a aprender com todas essas pobres pessoas que compraram brejos na esperança de enriquecer, é o seguinte:

O mercado é mais importante do que o imóvel.

Fico sempre surpreso com a quantidade de informações existentes sobre um mercado específico, ou até mesmo sobre um pequeno segmento de mercado de poucos quarteirões. O que você vê na superfície é apenas o começo. E justamente quando eu acho que conheço uma área realmente bem, algo muda. Neste capítulo, mostrarei a você como ir além das aparências, evitar os brejos e ver o verdadeiro cenário do mercado e seus segmentos menores. Neste processo você ganhará objetividade — uma coisa boa de fato, quando se fala de investimento imobiliário.

O PROBLEMA COM O INSTINTO

Muitas pessoas investem em mercado imobiliário com base na intuição ou no instinto. Embora seja importante possuí-los, você tem de entender que eles são o produto da experiência e não nascem conosco. Isso é simplesmente outro mito. As pessoas não nascem conhecendo essas coisas. Eu acredito ser impossível para uma pessoa que nunca tenha feito qualquer tipo de investimento possuir um conhecimento instintivo no sentido de que um negócio será melhor do que outro. Não é tão simples assim. De fato, é o tipo de pensamento ingênuo que leva os investidores a começarem de forma errada.

Poupe seus instintos para quando tiver vinte anos de estrada. Começar com o pé direito requer fazer uma coisa realmente bem: avaliar seu mercado e seu segmento. Você precisa conhecer a sua área-alvo e se tornar um perito nela. Não meramente pela razão de se tornar um perito, mas pelo propósito final de encontrar uma ótima oportunidade de investimento em um imóvel que seja viável e lucrativo a longo prazo. Isto é o que estamos propondo aqui. Se você puder fazer isso, o resto se tornará fácil. E isso vale para encontrar e manter inquilinos, o que influencia diretamente a sua geração de caixa e sua lucratividade.

Atuo nesse negócio há muito tempo e, mesmo assim, não confio somente nos instintos. Antes de termos investido no Distrito de Portland River, fizemos nossa parte. Você leu a respeito de nossa pesquisa realizada na internet, nossa visita aos sites, nossa maratona de encontros durante nossa viagem de dois dias e nossas ligações telefônicas de acompanhamento. Isso foi abordado no capítulo anterior. Para ser sincero, nós não tínhamos escolha. Conhecer tudo a respeito do mercado de Portland e do segmento do Distrito de River era a minha única maneira de fazer projeções realistas sobre a lucratividade futura. Era a única forma de me sentir à vontade para fazer um investimento.

Conhecer detalhadamente o mercado foi a chave para saber se o projeto seria viável.

Averiguar os fatos é o oposto de confiar em instintos. No capítulo anterior, quando da discussão de meu método de pesquisa, abordei alguns conceitos importantes que merecem uma definição mais adiante. Esses conceitos são fundamentais para o entendimento do cenário total do mercado e do segmento.

OFERTA E DEMANDA

Quando se trata de investimento em imóveis de qualquer tipo, especialmente em imóveis para locação, meu primeiro objetivo é interpretar com cuidado a oferta e a demanda da área. Eu não estou falando de algo complicado, somente de economia elementar. No caso, oferta é a quantidade de imóveis para locação em um mercado ou em um segmento.

Idealmente, a oferta deve ser baixa e a demanda deve ser alta.

Demanda é a quantidade de inquilinos procurando imóveis para locação. O conceito de oferta é fácil de ser determinado. Em Portland, consultamos nossa nova equipe, especialmente corretores e administradores de imóveis. Eles possuíam informações detalhadas, incluindo nomes, tamanhos, endereços e datas de construção de propriedades. Procure ajuda: Por que fazer todo este trabalho sozinho?

A demanda, por outro lado, é um pouco mais complicada. Eu estimo a demanda baseada no grau de ocupação da área. Se um segmento tem ocupação alta, a demanda é forte. Se a ocupação é baixa, a demanda é fraca. Outro indicador de demanda é o predomínio de incentivos e descontos nos anúncios de imóveis para locação. Se as concessões dos locadores forem muitas, a demanda é baixa. Se praticamente não houver incentivos e descontos, a demanda é alta. Estes são alguns sinais visíveis.

Outro fator a ser considerado na determinação de oferta e demanda é a oferta futura. Por oferta futura, estou me referindo a toda e qualquer nova propriedade de locação em seus vários estágios de desenvolvimento, desde o planejamento até a licença de construção. Oferta futura é um indicador fundamental de performance a longo prazo dos imóveis na área.

Se por meio da sua pesquisa você achar que a oferta é maior do que a demanda, convém manter-se afastado ou ao menos continuar procurando um mercado melhor. Seu trabalho de encontrar moradores, gerar caixa e aumentar a lucratividade do imóvel será mais difícil. Lembre-se: o valor de um imóvel para locação aumenta com base na maneira como é administrado e no volume de geração de caixa.

Em Portland, a demanda no segmento do Distrito River — local escolhido para nosso projeto litorâneo — certamente excedeu a oferta existente. Nós sabíamos disso por causa de nossos encontros pessoais e pelo fato de que nada estava disponível na área para alugar. Porém, em contraste com essa situação, na pequena comunidade montanhosa de Fountain Hills, Arizona, ocorre justamente o oposto: os imóveis para locação, incluindo grandes conjuntos residenciais, condomínios e residências unifamiliares, parecem estar disponíveis em todos os lugares. Muitos foram comprados por investidores esperançosos. Agora, estão numa briga de foice por um número relativamente pequeno de locatários. As razões desta queda de mercado não têm mistério. Melhor, elas são totalmente explicáveis. Você já as descobriu?

OS TRÊS INDUTORES DE OFERTA E DEMANDA

É simples: existem três indutores de mercado ou segmento econômico que são relevantes. Como investidor no mercado imobiliário, você deve considerar cada uma destas variáveis a toda hora. Elas são verdadeiros indicadores de oferta e demanda.

Emprego

Este é o primeiro e talvez o mais importante indicador de demanda, e por uma boa razão. Se um mercado ou um segmento oferece muitos empregos, muitas pessoas virão procurá-los. Isso é elementar. É um fato que o emprego leva à habitação, então, com tudo permanecendo igual, os imóveis próximos aos locais de emprego serão muito procurados. Isso não quer dizer que essas pessoas não queiram deslocar-se de carro para seus trabalhos, mas apenas esteja atento à condição de mercado.

Quando você estiver olhando para os indicadores de oferta e de demanda, não esqueça de prestar atenção ao emprego. No caso de Fountain Hills, Arizona, a oferta de empregos é baixa. Quase todos que moram na cidade trabalham em outros lugares, como na cidade vizinha de Scottsdale. Esta, em contraste, tem muitos empregadores. Ambas, Fountain Hills e Scottsdale, são lugares desejáveis para se viver e ambas as comunidades são bonitas, com excelente qualidade de vida. Porém, Scottsdale é superior em termos de emprego e, consequentemente, em termos de demanda de imóveis.

As pessoas realmente devem querer morar em Fountain Hills, e muitas de fato querem. Mas a carência de um grande empregador ou de um grande complexo de escritórios que traga trabalhadores para a cidade indica que Fountain Hills terá dificuldade de equilibrar oferta e demanda de imóveis para locação por muitos anos. Esta mesma teoria também é verdadeira para os negócios de varejo da cidade e restaurantes. Oportunidades de emprego trazem clientes.

É um fato que a população segue o emprego.

A expressão que diz que as pessoas vão aonde o trabalho está é verdadeira. Foi o que atraiu tanta gente para Houston, Texas, no final dos anos 1970 e no começo dos anos 1980, e é o que vem atraindo várias pessoas para Phoenix, Arizona, nos últimos 20 anos. Crie trabalho e as pessoas virão.

A elevada oferta de empregos pode ser benéfica para investimentos em imóveis para locação, porém certifique-se de ter olhado para o cenário todo. Até comunidades com muitos empregos podem ainda estar com um número excessivo de construções, comprometendo, desse modo, o equilíbrio delicado de oferta e de demanda. Scottsdale tem sido esperta ao limitar a oferta de propriedades para locação. Isso vem mantendo as desocupações baixas e as locações altas. Fountain Hills, ao contrário, permitiu, com suas terras abundantes, a construção de muitas unidades para locação. Consequentemente, as desocupações são altas e as locações são baixas. Fountain Hills poderia ter tido uma comunidade de locação excelente, mesmo sem uma base forte de empregos, e assim foi, antes da explosão das propriedades para locação ocorrida no final dos anos 1990. Afinal, a cidade representa um grande atrativo para visitantes de inverno e moradores de temporada, um bom mercado para comunidades de locação.

Estabilidade no emprego também é algo a ser considerado. Assim que você avaliar seu mercado e seu segmento para empregos, analise como é a estabilidade da base de empregos. As empresas têm boa reputação? Os produtos e serviços estão em crescimento constante de demanda? O conjunto de empresas é diversificado? Estes são os indicadores de estabilidade. Dê uma olhada na Houston dos anos 1980. Os imóveis para locação estavam em franca expansão, até que as empresas de petróleo começaram a quebrar, arrastando consigo numerosos bancos, hotéis, empresas de construção civil e outros inúmeros negócios. Havia apartamentos desocupados em toda a cidade. Então, para atrair locatários, proprietários e administradores de imóveis, ofereciam-se imóveis com muitos atrativos, como seis meses de locação gratuitos, televisão de graça e renúncia a garantias locatícias. A queda drástica no nível de empregos exerceu forte impacto sobre toda a economia.

População

Em um mundo de muitas opções, invista em imóveis para locação nos lugares onde existem mais pessoas! Já estabelecemos que você precisa de uma base estável e crescente de emprego. Assim, faz sentido que você também queira estar numa área que tenha muitas pessoas. Pessoas que serão seus próximos clientes. Essa recomendação talvez não faça sentido para novos investidores que estejam pensando em tirar vantagem de um "grande negócio" com uma residência unifamiliar no subúrbio da cidade, longe de tudo. Mesmo que seja um imóvel maravilhoso e pareça um ótimo negócio, tudo isso de nada adiantará se ninguém quiser morar no local. Neste livro, você verá que, uma vez selecionado o mercado, a chave do sucesso está no próprio imóvel em si, e a valorização é consequência de sua administração — como é administrado hoje e como será administrado no futuro. Por administração, refiro-me às receitas e despesas do imóvel e à sua lucratividade total. E nesse negócio, o sucesso na administração depende de o mercado ser dominado pelos locadores.

As pessoas, com certeza, vão aonde os trabalhos estão. Mas elas também migram para lugares que, digamos, têm personalidade ou constroem experiência de vida naquela área. Isto é um conceito bastante vago, eu sei, então talvez seja melhor usar exemplos para deixar mais claro. Se você alguma vez foi a Venice Beach, na Califórnia, sabe que é um segmento do mercado de Los Angeles que tem personalidade única ou possibilidades de experiência de vida. Em primeiro lugar, é a cidade praiana da Califórnia que conjuga toda a diversão e toda a liberdade que o Departamento de Turismo da Califórnia, Hollywood, e os Beach Boys passaram décadas promovendo em comerciais, filmes e músicas. Em segundo lugar, é um segmento que, mesmo comparado com outras cidades praianas, tem fama de ser moderno, vanguardista e jovial.

Compre uma propriedade para investimento em Venice Beach e você não terá muito a dizer. Muitas pessoas estão sendo atraídas por este estilo de vida e pelo que representa morar em Venice Beach. Contraste isto com Dobson Ranch, um segmento de Phoenix. Existem imóveis para locação nesta comunidade planejada, mas a área não possui personalidade suficiente para levar multidões para lá. Certamente, é um bom lugar para morar e um ótimo lugar para a família, porém não há nada mais que atraia a população. Eu tenho certeza de que a maioria das pessoas que está lendo este livro nunca ouviu falar de Dobson Ranch.

Outras áreas que vêm à mente quando penso em lugares com personalidade e construção de experiência de vida são Key West, Flórida, e Coronado Island, Califórnia. Ambas são comunidades praianas privilegiadas. Whistler, British Columbia, é um outro exemplo, e o nome é quase sinônimo de esquiar e de formidável cenário alpino. Gig Harbor, Washington, é a meca para apaixonados por náutica. Aspen, Colorado, é o local para esquiar e ser visto. E, finalmente, Scottsdale, Arizona, é conhecido por sol, golfe, spas e compras. Estes são lugares famosos que possuem personalidade, porém, em toda comunidade, existem outras áreas menos famosas que têm personalidade e possibilidade de construção de experiência de vida e que são conhecidas pelas pessoas que vivem na região.

Considere algumas áreas menos conhecidas no Arizona: Litchfield Park, que era conhecida como o local da Base da Força Aérea de Luke e de muitas fazendas. Hoje, é facilmente conhecida na área metropolitana de Phoenix como cidade emergente de grande desenvolvimento. Possui um complexo esportivo na vizinhança de Glendale e lojas de varejo em todo lugar. Mill Avenue, um segmento de Tempe, Arizona, é bem conhecida pela jovialidade, pelos eventos e pelo centro de artes da faculdade. Você compreende com esses exemplos o conceito de personalidade e de construção de experiência de vida de um local?

Lugares com uma personalidade claramente definida atraem populações quase tanto quanto o trabalho.

Todos nós já fomos atraídos por prédios charmosos em cidades carentes de emprego e de sólidas personalidades, inclusive eu. Não se deixe levar. Prédios charmosos só são charmosos se atraírem pessoas e gerarem dinheiro. A não ser que você seja um jogador de Vegas que sempre queira testar a sorte, fique longe de mercados e segmentos que não atraiam pessoas.

Agora, que você conhece algumas das razões pelas quais mercados atraem pessoas, precisará saber como quantificar a população em sua área. Aqui está um outro momento em que se faz necessária a presença da equipe. Fale com os funcionários públicos de sua cidade, visite o website deles e agende encontros. Lembre-se: como contribuinte você está pagando seus salários. Você é o cliente deles. Faça o que tiver de ser feito para conseguir projeções reais da população. E quando eles informarem números muito favoráveis, peça-lhes para elaborar os fatores que estão contribuindo para um cenário tão otimista de crescimento.

Se qualquer de suas fontes previr um declínio na população, isto é um mau sinal. Mas ao menos elas estarão sendo honestas. Eu sempre procuro indicadores reais das pessoas, não para os números favoráveis, e as valorizo por terem dito as coisas como elas realmente são. Além de emprego e personalidade da cidade como fatores atrativos de população, seus contatos também podem referir-se a:

- Novas estradas ou extensão de estradas. Isto cria um padrão novo de tráfego e transforma áreas que pareciam muitos distantes em locais que repentinamente parecem próximos. Um projeto novo de estrada perto de imóveis residenciais afastados pode representar uma boa oportunidade de investimento.
- Comunidades planejadas. Estes grandes projetos residenciais combinam moradia com trabalho e, junto com eles, atraem muitas pessoas. Novas comunidades, em particular, são frequentemente sustentadas por campanhas muito caras de publicidade; já as mais antigas, como Dobson Ranch, mencionada anteriormente, viraram coisa do passado.
- Novos estádios e centros esportivos. Muitas vezes, o eixo da reforma urbana é um estádio ou um complexo de centros esportivos. Esses empreendimentos trazem milhares de pessoas para a área e abrem todos os tipos de oportunidades de investimento em mercado imobiliário. A nova arena de hockey do Phoenix Coyotes, em Glendale, foi um dos projetos mais importantes para o desenvolvimento da cidade de Litchfield Park, mencionada anteriormente.
- Criação e expansão de universidades. Universidades são sempre direcionadores de população justamente em razão de sua natureza. Elas trazem fluxo constante de estudantes, professores e outros negócios para a área. A Mill Avenue, segmento de Tempe, já referida, fica tão próxima da Universidade do Estado do Arizona que sua distância pode ser percorrida caminhando.
- Áreas de recuperação. Nosso projeto do Distrito River, em Portland, é um excelente exemplo de recuperação de uma área. As locações centrais ideais, comunidades com boa impressão e a aura de ser "um lugar da moda" — muitas vezes associado à recuperação —, transformam esses tipos de projetos em verdadeiros imãs de população. As pessoas amam o fator espetacular associado a histórias de antes e depois.
- Bases Militares. Nem todos os militares vivem na base. Os imóveis ao redor de instalações do governo muitas vezes são um bom investimento. Apenas tenha cuidado com o fechamento de bases, as quais muitas vezes são anunciadas nos jornais somente na hora em que o orçamento do governo aperta.
- Aeroportos regionais. O Aeroporto de Scottsdale é o exemplo primordial de quão valioso pode ser o mercado imobiliário no entorno.

O Aeroporto de Scottsdalle é um paraíso para pequenos negócios e um verdadeiro indutor de comunidades de locação e imóveis residenciais modestos. A nova estrada que liga o aeroporto ao resto da área metropolitana de Phoenix também ajudou.

- Mudança de localização de empresas. Quando a Boeing se mudou de Seattle para Chicago, com ela foram milhares de empregos. Ruim para Seattle, ótimo para Chicago. Mudança de localização de empresas são impulsionadores instantâneos de população.
- Grandes eventos. Por causa da World's Fair (Feira Mundial) de 1962, recuperou-se o centro de Seattle, e seu grande legado foi o Space Needle, que, ainda hoje, é uma atração turística. Os Jogos Olímpicos também têm o condão de transformar comunidades, como os jogos de 1996 fizeram em Atlanta, e os de 2000 em Salt Lake City. Até eventos anuais como o Super Bowl podem revitalizar uma área, em virtude de grandes injeções de capital novo.

Estes são somente alguns indutores de população. Quando você ouvir ou ler algo a respeito deles, trata-se de um bom indicador de crescimento.

Projetos e acontecimentos como esses tendem a remodelar uma comunidade, e mudanças assim são potencialmente lucrativas para os investidores do mercado imobiliário. Mas existem também alguns outros fatores a serem observados, tais como:

- Flexibilidade. Esteja certo de que o crescimento de um mercado ou segmento não depende exclusivamente de um único elemento. Em outras palavras, se um grande empregador for responsável por toda a população de determinada área, pense duas vezes a respeito de investir. Se o empregador se mudar, o mercado irá acompanhá-lo. Você deseja um mercado que possa resistir a altos e baixos. A Motorola sofreu signicativa redução de escala nas operações em Phoenix, que poderia ter sido devastadora para muitas cidades. Mas Phoenix é forte, tem uma economia diversificada e possui uma comunidade vigorosa de pequenos negócios que minimizaram o problema.
- Diversidade Econômica. Eu me afasto de áreas que não possuem uma boa diversidade econômica. Aconteceu no passado e acontecerá novamente: um mercado inteiro desaparece em virtude de um setor da

indústria quebrado. Aconteceu em Pittsburgh, Houston, Detroit e mais recentemente na área da Baía de São Francisco, quando a bolha das empresas do segmento de internet estourou.

- Pioneirismo. Pioneiros têm um local romântico na história. Mas eu propositalmente nunca sou um deles. Estar muito à frente ou na dianteira das coisas pode ser caro e perigoso. Eu tento não criar a onda, simplesmente a pego quando está começando a crescer e entro nela.
- Capacidade para pagar. Eu sempre procuro ver se as pessoas têm capacidade para pagar uma casa. Se uma residência unifamiliar está fora do alcance para a maioria das pessoas, apartamentos se tornam uma opção valiosa. Isto é o que ocorre em grandes cidades como Nova York e São Francisco, que atraem grandes populações que não podem pagar pelas casas. Olhe para mercados onde o custo de ser o proprietário da casa excede muito os custos de locação. Quanto mais próximas forem as duas variáveis, mais difícil será encontrar e manter locatários.

Localização

Localização é a coisa mais importante no caso de mercado imobiliário, ao menos é isso o que todas as pessoas dizem. E eu concordo. Mas, para mim, localização deve basear-se não somente na geografia, mas em como ela é mensurada na relação da oferta e da demanda. Após o imóvel ter passado pelo critério de estar localizado numa área com boas perspectivas de emprego e crescimento populacional, eu me volto para alguns importantes aspectos físicos que a experiência vem mostrando serem valiosos:

- Ótimas localizações têm visibilidade para motoristas que passam pelo local. Quanto mais carros passarem por sua propriedade e visualizarem o seu sinal de "Aluga-se", melhores serão suas chances de sucesso. Motoristas que passam pelo local são uma das mais eficientes formas de publicidade e certamente uma das mais produtivas em custos. Quando sua propriedade se situa numa rua sem tráfego, você precisa recorrer a métodos mais caros e menos eficientes de publicidade. Isto quase que inevitavelmente reduz a sua lucratividade, porque baixa ocupação significa baixo fluxo de caixa.

- Ótimas localizações possuem qualidades raras. Existe um tipo de qualidade a respeito de ótimas localizações que você não consegue encontrar em todos os lugares. Nosso projeto de Portland foi uma das únicas propriedades de frente para o mar que se localiza em uma área popular extensa. Era uma ilha esperando ser descoberta. Esta é a qualidade rara a que me refiro.
- Grandes localizações estão em alta. Alguns investidores acreditam que não podem pagar para possuir imóveis com boa localização. Mas a verdade é que existe capacidade de compra em todos os lugares, até nos bairros mais bem localizados, se você comprar a propriedade baseando-se no desempenho operacional, e não no preço de venda. Você lerá mais sobre este conceito nos capítulos seguintes, mas, por ora, saiba que nunca deve desconsiderar bairros muito caros.

Dê outra olhada nessas três características de ótimas localizações e o que você verá é que elas se resumem a uma única verdade: ótimas localizações são fracas em oferta e fortes em demanda. Isto é o coração da sua avaliação de mercado. Seja realista em suas análises e encare o futuro do mercado com um olhar afiado no presente. Os investimentos imobiliários devem oferecer retorno agora e no futuro. O primeiro passo para comprar certo é conhecer seu mercado melhor do que qualquer outra pessoa.

FOCANDO SEU MERCADO

Após todas as avaliações, você deve estar munido das informações necessárias para focar seu mercado. Anteriormente, falamos a respeito de estabelecer metas. Eu citei como exemplo de meta encontrar uma propriedade de oito unidades em Phoenix. Ei-la:

> Nós iremos adquirir uma propriedade de oito unidades na área metropolitana de Phoenix, dentro dos próximos doze meses, que irá gerar no mínimo US$4.000 de renda média anual nos próximos cinco anos.

Após a leitura deste capítulo, você pode estar pensando que a área metropolitana de Phoenix como mercado representa uma área muito ampla. Isto precisa ser considerado com cautela. Conforme você for aprendendo mais a respeito de seu próprio mercado, irá por si só refinando continuamente sua meta e sua pesquisa. Isto é perfeitamente correto. Este foco gradual é necessário e aqueles que não conseguem cumpri-lo efetivamente acham este tipo de trabalho... Bem, trabalhoso demais.

Então, vamos restringir nosso mercado a Scottsdale. Isto é muito melhor. E nós vamos focar mais ainda na área de Old Town, um segmento de Scottsdale. Agora, eu já sei que minhas escolhas de imóveis estarão circunscritas a centenas, não a dezenas de milhares. Você entendeu o que quero dizer a respeito de muito trabalho? Focando seu mercado, as coisas tornam-se gerenciáveis.

Passos de Ação do Capítulo 5

- Selecione um mercado no seu estado, de preferência perto de sua casa, no qual eventualmente se interesse.
- Liste todos os segmentos ou separe os bairros.
- Defina e descreva a situação de empregos da área.
- Defina e descreva a personalidade do segmento.
- Determine as estimativas de oferta e demanda:
  - → Pergunte à sua equipe;
  - → Leia os sinais visuais;
- Confronte os seus achados com as informações deste capítulo.
- Classifique os segmentos por critérios.
- Selecione seu segmento.

Capítulo 6

Encontrando seu diamante bruto

Identificar um bom investimento em imóveis é como namorar. Você deve estar certo de ter feito uma boa escolha porque isso envolve tempo, energia e dinheiro. Você estará despendendo esforços e terá grandes sonhos acerca dos resultados, que podem ser um relacionamento duradouro ou até mesmo um casamento. Namorar qualquer pessoa, assim como ir atrás de um imóvel velho, pode ser uma grande perda de tempo e mesmo custar muito dinheiro. Eu falo com a experiência de ambos os casos.

Após a leitura dos últimos cinco capítulos, você deve ter concluído que escolher sabiamente envolve estabelecer uma meta, formar sua equipe e avaliar e focar o seu mercado. Antes de selecionar de fato um imóvel, é necessário muita preparação. E o que você está procurando não é necessariamente a propriedade mais bela, mas um diamante bruto. Este é o que tem maior potencial, e potencial, como você verá nos capítulos futuros, representa resultados lucrativos.

Repetidamente, investidores iniciam nesse estágio: partem à procura de um imóvel e deixam de lado completamente a fase de preparação. Essa é a razão de a palavra "risco" ser tantas vezes associada a mercado imobiliário. A seleção do imóvel deveria vir somente *após* você reunir uma equipe, decidir a sua meta e identificar um mercado ou segmento. Nunca antes. Isso requer um certo grau de confiança, mas como eu sempre digo:

Confie, mas verifique.

A essa altura, você já encontrou seu mercado e o respectivo segmento ou segmentos. O próximo passo é identificar o imóvel que irá alcançar suas metas de receita e de lucratividade dentro de sua área escolhida. Este capítulo mostrará como. Para tanto, eu o conduzirei pelos mesmos passos que sigo para encontrar um imóvel. Deixaremos a avaliação do imóvel para o capítulo 7.

Este capítulo e o próximo são fundamentais para o sucesso nos negócios porque este livro não aborda somente a compra de um imóvel, mas a compra correta. Pelo preço certo, na área certa e com a expectativa adequada para alcançar sua meta. Essa é a única maneira como compro propriedades, e a razão é simples: quando você compra certo, passa seus dias cuidando do jardim, em vez de removendo pedras. A vida é muito curta.

PARÂMETROS PARA ESTABELECER UM ALVO

Vamos retornar à meta hipotética de encontrar uma propriedade de oito unidades. No último capítulo, focamos nosso mercado em Old Town, Scottsdale. Agora, é hora de focar nossos parâmetros de propriedade. Nossa meta atual é:

> A aquisição de um imóvel de oito unidades em Old Town, Scottsdale, nos próximos doze meses, capaz de gerar no mínimo US$4.000 de renda média anual nos próximos cinco anos.

Você sabe o que está faltando, não sabe? Precisamos de informações mais específicas a respeito de nosso imóvel de oito unidades. Essa informação ainda é vaga. Quando eu estava somente começando nesse negócio, pesquisei imóveis por conta própria. Agora, contrato pessoas para examinar os imóveis que estão anunciados e os que não estão, para encontrar aqueles que se encaixam nos meus parâmetros. Você deve pensar que é um luxo com o qual somente investidores estabelecidos podem arcar. Nem tanto. A pessoa que trabalha para mim é um corretor e ele é remunerado quando encontra um negócio que se concretiza. Qualquer pessoa pode arcar com esse tipo de ajuda. Essa ajuda foi interessante para nós dois. Juntos, estávamos preparados para focar nossa pesquisa, responsabilizar-nos um perante o outro e aumentar nossas chances de sucesso. Agora, nós nos encontramos por uma hora toda semana. Não é um grande comprometimento de tempo, mas agrega muito valor.

Para mim, ajuda muito ter uma ideia precisa do tipo de imóvel em que estou interessado. Poupa muito tempo, mantém meu corretor e a mim focados e ajuda a fazer o trabalho gerenciável. Eu sou muito específico em relação ao que quero considerar. Por exemplo, no momento estamos procurando no mercado um condomínio de 150 unidades com uma boa localização, alta visibilidade, tráfego de motoristas nas ruas principais e que tenha sido construído após 1988. Ainda mais especificamente, estou procurando imóveis gerenciados pelos próprios proprietários, que morem fora do estado e tenham somente uma ou duas propriedades na cidade toda.

Estes parâmetros não são arbitrários: eu quero propriedades de tamanho substancial para que possamos arcar com os custos de ter um administrador de imóveis a postos para lidar com as questões do dia a dia. Isto funciona bem com a estrutura da minha empresa. O ano de 1988 é importante porque muitos imóveis mais antigos necessitam de muito dinheiro para se equiparar com outros prédios na área. Você verá que é normal recolocar telhados, pintar, instalar novos carpetes etc. Mas se todos os outros prédios têm serviços de lavadora e secadora e o seu não tem, você terá de gastar muito dinheiro remodelando e atualizando, ou cobrar aluguéis de mercado inferiores. Nenhuma delas é uma boa alternativa. Viu o que quero dizer sobre conhecer o seu mercado?

Buscando imóveis cujos donos gestores morem fora do estado, eu percebi que existe uma grande possibilidade de que a propriedade não tenha alcançado o seu potencial máximo. As razões são:

- Viagens. Diversas vezes, pessoas compram propriedades em mercados valorizados longe das cidades onde vivem e subestimam quanto tempo e quanta energia são necessários para administrá-las. Além do mais, o tempo e as despesas das viagens contribuem para a ausência do proprietário.
- Complacência. É fácil para pessoas que moram fora da cidade perder interesse e se tornar complacentes na maioria das vezes, especialmen-

te se estão ganhando dinheiro e se não veem suas propriedades diariamente.

- Percepção. Muitos proprietários erroneamente acreditam que o negócio de investimento em mercado imobiliário é um investimento, e não um negócio. Eles pensam que é como uma ação ou um título que podem comprar e esquecer. Na realidade, é um negócio que eles precisam administrar.
- Falta de informação. Isto, na verdade, aconteceu com um imóvel que minha empresa administra; os proprietários não tinham ideia alguma sobre o potencial do mercado ou das condições do próprio imóvel. O proprietário comprou de olhos fechados! Isto está além da minha compreensão.

Nessa fase do processo, você continuará aprendendo sobre o seu mercado no nível de detalhamento que o tornará bem-sucedido no negócio. Finalmente, você está se concentrando em cada um dos imóveis e verá que há muitos deles. Você deverá certificar-se de que o seu mercado-alvo não é muito grande ou vai acabar considerando milhares de alternativas. Lembre-se dos conceitos de mercado e de segmentos, vistos no último capítulo. Conheça onde você quer estar especificamente e comece por lá. Talvez tenha de trabalhar de dentro para fora ou migrar para outros segmentos se não houver nada na sua primeira opção de mercado.

Quanto mais experiência você adquirir nesse negócio e quanto maior o número de pessoas para quem você comunica suas metas, maior será o número de oportunidades que virão até você. Ao menos, terão a feição de oportunidades; muitas delas são perdas de tempo disfarçadas de oportunidades. Você vai se sentir tentado a entrar em um avião e viajar grandes distâncias para ver o que aparenta ser um grande negócio, mas mantenha-se focado e determinado em sua meta. É avassalador tentar considerar tudo de uma vez só.

TORNANDO-SE UM PERITO

Você precisa tornar-se um perito no segmento escolhido, e grande parte do aprendizado ocorre durante a fase de avaliação do mercado. Mas acontece também quando você está avaliando propriedades. Adote a mentalidade de que o aprendizado será progressivo e para sempre. Você nunca sabe o suficiente sobre um mercado, e os mercados estão constantemente mudando. Eu observo tudo ao meu redor a respeito de mercado imobiliário. Chame isto de loucura, porém, cada história que leio no jornal, cada conversa que tenho, cada centro de varejo que vejo, cada letreiro numa esquina, cada novo empregador, enfim, tudo isso tem implicações para o mercado imobiliário e para mim. Eu observo tudo em todos os lugares. Minha visão está treinada. Mas se seus sentidos não são tão aguçados como os meus, aqui estão algumas diretrizes para ajudá-lo a alcançar a condição de perito:

Use a sua pesquisa

Toda pesquisa feita na preparação para os investimentos imobiliários deve ser organizada e prática. Eu tenho informações de mercado e imóveis organizadas de forma a poder lançar mão delas a qualquer hora. Somente porque estou no estágio de focar a propriedade não significa que pare de olhar minhas pesquisas. O trabalho que você tiver feito antes deve tornar-se sua bíblia. Pesquise mais intensamente agora que já escolheu seu mercado de maneira mais específica.

A pesquisa feita há meses deve ser continuamente atualizada. Mercado imobiliário é um negócio volátil, então eu faço pesquisa o tempo todo. Qualquer coisa que considero pertinente aos meus mercados-alvo é catalogada e guardada. Qualquer coisa referente a mercados em que atualmente eu não esteja focado também é catalogada e listada. Você nunca sabe quando uma comunidade adormecida como Litchfield Park, no Arizona, vai aparecer no radar e tornar-se uma cidade progressista, a não ser que você a liste. Então, você terá condições de perceber a chegada antes de qualquer outra pessoa.

Leia tudo

Eu leio todos os jornais que encontro pela frente sobre nossos mercados-alvo. Obviamente, dou uma olhada rápida nos classificados, porém o que é mais importante: olho as manchetes, os esportes e os acontecimentos de bairro. É onde eu tenho um cenário real do mercado. Por exemplo, presto atenção a qualquer grande evento relacionado à área.

Considere, por exemplo, um distrito escolar recebendo a iniciativa da construção de outra escola de ensino fundamental. Este é o tipo de manchete que irá arrastar pessoas para a comunidade. Da mesma maneira, coisas como centros varejistas, mudanças de zoneamento de parcela de terras, definições de pontos históricos, relatos de crimes, tudo tem implicações com o mercado imobiliário. Até o repórter aéreo comentando sobre o trânsito tem algo a ensinar sobre mercado.

Olhe ao redor

Antes de você seriamente focar um imóvel, olhe bem para a vizinhança. Eu sei por experiência própria. Existem diversos prédios que nós gerenciamos, porém não somos proprietários. Um prédio que começamos a gerenciar estava tão cheio de membros de gangues, drogas e violência que não havia sobrado qualquer pessoa normal. Era o paraíso para os criminosos. Pior de tudo, era bem no centro de um bairro marcado pelo crime. As coisas eram tão ruins que, em um dos apartamentos em que entrei durante uma visita ao local, havia um fuzil M-16 pendurado perto da porta. Pura verdade. Conseguimos limpar os apartamentos por meio de uma expulsão em massa e com a contratação de oficiais de polícia sem vínculo com o governo para patrulhar a área 24 horas por dia. Tornamos o local sem atrativos para os criminosos e, lentamente, as pessoas normais começaram a retornar para o local. Mas só conseguimos limpar o prédio. Não mudamos o bairro. Esta foi a lição que aprendemos. Você não pode mudar um bairro, então, certifique-se de que a propriedade esteja num local em que você esteja apto a gerenciar. Como lembrete, você precisa pegar a frente da onda, não criar a onda. Aí existe uma grande diferença.

Ouça mais, fale menos

Procure ouvir o que está sendo falado nas ruas. Não somente o que os jornais estão dizendo, mas de preferência o que as pessoas informalmente estão falando a respeito. Donos de loja, donos de outros apartamentos, vizinhos, técnicos de TVs a cabo, entregadores de correspondências e todas as pessoas que gastam tempo dentro do mercado. Ouça o que as pessoas de sua equipe estão falando. Ouça qual será seu próximo alvo. Porém, não se engane com rumores. Se você ouvir algo, confirme o que foi dito com sua equipe de peritos e com outras pessoas que tenham opiniões relevantes. Eu acredito na minha rede de relacionamentos e me programo para mantê-la regularmente. Existem pessoas com as quais vou almoçar somente para ouvir o que elas têm a dizer e para descobrir o que elas estão fazendo. Eventualmente, você ouvirá coisas que somente semanas mais tarde estarão nos jornais. Isto é pegar a frente da onda.

Participe de grupos de relacionamento ou de associações comerciais

Diversas vezes, você pode encontrar grupos que se encontram regularmente e que têm metas similares às suas. Eu atuo nas organizações Arizona Multihousing Association, National Apartment Association e Institute of Real Estate Management. Estes são bons lugares para conhecer pessoas que podem ser adições valiosas para a minha equipe, para achar pessoas que eu talvez queira contratar e para permanecer no topo das questões que podem afetar meus investimentos.

PESQUISAR POR CONTA PRÓPRIA OU CONTRATAR GENTE DE FORA?

Você pode fazer todo esse trabalho por conta própria, e esta provavelmente seja uma boa ideia, qualquer que seja o caminho escolhido — contratar ou não contratar. Em primeiro lugar, você sem dúvida conhecerá melhor o imóvel que comprar. Em segundo lugar, você disporá de melhores condições para avaliar os imóveis oferecidos pelo seu corretor. No entanto, contratar pessoas de fora para executar esses serviços também tem seus benefícios.

Corretores irão ajudá-lo a encontrar imóveis no seu mercado mediante o pagamento de comissões. É a profissão deles. Quando você fecha o negócio, a comissão é paga muitas vezes pelo vendedor. Em primeiro lugar, corretores tendem a se especializar no seu mercado-alvo. Se você fizer uma boa seleção, seu corretor pode ser uma mina de informações para você. Esses profissionais conhecem as novas lojas de varejo que estão chegando à cidade, conhecem projetos de estradas e pistas de alta velocidade, até empregadores que estão expandindo ou reduzindo suas estruturas. Em segundo lugar, corretores poupam muito do seu tempo. Eles sempre estão prontos a encontrar propriedades rapidamente e apresentá-las a você. Terceiro, corretores podem fazer ligações telefônicas para os donos de imóveis no seu lugar, para que você possa se preocupar com outras coisas. Você provavelmente não irá acertar um negócio na primeira ligação nem na décima. Finalmente — e este é o maior benefício —, não há custos adiantados para você.

Se escolher contratar um corretor, certifique-se de que é uma pessoa em quem você possa confiar e que ele combine com o seu alto grau de integridade. Como em tudo, existem bons corretores e maus corretores. Um bom corretor deverá estar focado na construção de um relacionamento com você de longo prazo, e não trabalhar para ganhar a comissão. Bons corretores sabem realmente o que está acontecendo no mercado. Aliás, eles são conhecidos por isso. Eles são citados no jornal. Eles são atuantes na comunidade. Bons corretores se comunicam com você via cartas e e-mail. Eles são proativos na maneira como fazem os negócios, informando com detalhes. Eles são usualmente os maiores produtores do mercado. Lembre-se, confie, mas verifique.

A estrada mais difícil é aquela que você trilha sozinho.
Nenhum homem é uma ilha.

NADA ESTÁ À VENDA

Após semanas delimitando seu mercado, definindo seu segmento, aprendendo tudo que há para aprender e falando com pessoas líderes de negócios na comunidade, seu corretor traz a má notícia: não há nada para vender que vá ao encontro de seus critérios. Então, o que você faz agora? Você deve ir embora? Começar a procurar em outro lugar da cidade? Esperar até alguma coisa interessante aparecer no mercado? Claro que não. Você simplesmente se mobiliza em direção à compra de uma propriedade que tecnicamente não está à venda!

Eu acredito que, quando uma propriedade entra nos classificados, é tarde demais. A essa altura, você está competindo com outros possíveis compradores e trabalhando com um vendedor que já estabeleceu um preço de compra que talvez não seja negociável. Quando vejo que vale a pena entrar em uma área específica, não espero pelo anúncio de "À venda". Eu corro atrás. Diversas vezes o sinal de "À venda" nem é colocado porque outras pessoas viram a oportunidade antes de você e chegaram na sua frente.

A questão aqui refere-se a mercado imobiliário e comprar corretamente. Não é a respeito da propriedade estar ou não estar à venda. Você deve ter ouvido a expressão "tudo está à venda, pelo preço certo". Bem, o mesmo é verdadeiro aqui. A maioria dos imóveis que compramos em 2002 não estava à venda. Compramos esses imóveis tomando a iniciativa de procurar o proprietário. Como fazer isso?

ENTRANDO EM CONTATO COM O PROPRIETÁRIO

Ao começar a trabalhar no mercado imobiliário, você logo perceberá que não há segredos nesse mundo. Digo isso porque, em menos de dez minutos na internet, posso descobrir o valor da sua casa, a área construída, a quantidade de quartos e banheiros, quanto você pagou e quando, qual é o estilo, onde está localizada e, em muitos casos, ter uma visão aérea tirada por uma câmera via satélite. Estas coisas o surpreendem? Bem, você não ficará surpreso por muito tempo, porque essas são exatamente as informações que você obterá na internet ao investigar imóveis.

Tudo que mencionei no parágrafo acima é uma questão de registro público. Nenhuma dessas fontes de informação é ilegal ou suspeita. De fato, a maioria se constitui de agências governamentais. Meu ponto aqui é simples: se eu posso achar todas essas informações sobre sua casa, você pode achar a mesma espécie de informações sobre qualquer prédio que esteja interessado em comprar. Aí se incluem o nome, o endereço e o número de telefone do comprador.

Essa é uma maneira fácil de obter informações sobre uma propriedade, e você estará sempre bem informado. Você também pode aproximar-se diretamente e perguntar aos moradores, ao administrador de imóveis, ao corretor que trabalha na área, aos escritórios de assessoria tributária e a outras fontes.

Às vezes, ao procurar os proprietários, você descobre que o imóvel é de uma pessoa jurídica. Não deixe que isso o paralise. Telefone para a junta comercial do seu estado ou para a CVM (Comissão de Valores

Mobiliários), se for uma companhia aberta, e você conseguirá os nomes, endereços e números de telefones dos responsáveis pela empresa. Nada é secreto!

Depois de reunir dados suficientes sobre o imóvel, você deverá conversar com o proprietário. Essa é a melhor forma para descobrir mais a respeito do imóvel e ver se o proprietário está disposto a receber ofertas. O primeiro telefonema talvez pareça assustador, mas tudo correrá bem se você for honesto desde o início. Não há necessidade de rodeios. Somente pergunte e esteja preparado para respostas negativas.

Para ajudá-lo nesta primeira conversa com o proprietário, montei a tabela a seguir. Ela descreve uma típica conversa.

O Proprietário Diz	Você Diz	Comentários
Alô	Oi, meu nome é (seu nome). Você é o dono da propriedade em (diga o endereço)?	A esta altura, o proprietário está pensando que você é um corretor de hipoteca e está tentando pegá-lo para um refinanciamento. Ele irá querer desligar.
Sou.	Sua propriedade é uma das dez da lista que se encaixam nos meus parâmetros de um imóvel de oito andares em Old Town, Scottsdale, e eu gostaria de falar com você sobre a compra dela.	Agora, o proprietário está pensando, "quem é este cara, ele possui boa reputação? Ele é um corretor simplesmente tentando anunciar uma propriedade para venda ou ele é um comprador de verdade?".
Talvez possa estar interessado nisto. O que você tem em mente?	A primeira coisa é que eu não sou um corretor procurando uma propriedade para anunciar, e eu gostaria de dizer que tudo o que conversarmos aqui é sigiloso e eu estou inclusive preparado para a remessa de um acordo de confidencialidade. O que pode ser feito por fax imediatamente, com minha assinatura.	O proprietário está pensando que o acordo de sigilo é muito profissional. Ele gosta disto. Parece legítimo.

(continua)

O Proprietário Diz	Você Diz	Comentários
De que quantia estamos falando?	Eu não estou preparado para fazer uma oferta hoje, mas, uma vez que eu descubra mais a respeito de sua propriedade e suas operações, devo ter uma oferta formal para você em uma semana. Se você puder me dar algumas informações básicas, eu poderia começar a pensar numa oferta já. Minha oferta será baseada no retorno do meu investimento. E eu não sei qual é o retorno enquanto não olhar as operações da propriedade.	A esta altura, você não está em condições de fazer qualquer tipo de oferta, porque você não sabe como estão as operações da propriedade. Lembre-se: comprar certo significa comprar baseado na performance das operações. O vendedor pode estar relutante em dar tais informações a você. Você deve fazer o proprietário compreender que ele não está colocando nada em risco fornecendo tais informações e que ele nunca receberá uma oferta a não ser que as passe a você.
De que tipo de informação você precisa?	Inicialmente, eu preciso da relação de locação (que é a lista das unidades disponíveis para locação e quanto é cobrado por cada uma) e sua ocupação atual. Eu também preciso de suas despesas operacionais.	A relação de locação e o índice de ocupação atual são dois indicadores-chave de como a propriedade está operando. Estas duas informações são fundamentais para o estabelecimento do preço de compra, como você verá no próximo capítulo. Você provavelmente perceberá que está educando o vendedor e ajudando a determinar o que a propriedade realmente vale.

(continua)

O Proprietário Diz	Você Diz	Comentários
Eu não quero enviar esta informação.	Tá legal. Eu posso fazer uma oferta sem estas informações. Porém, ao menos que eu saiba como a propriedade está operando, a oferta pode mudar radicalmente se decidirmos ir adiante e eu *verei* esta informação durante o processo de compra. Eu preferiria estar informado agora e fazer uma oferta razoável logo. Mesmo se não der em nada, você terá uma avaliação de quanto a sua propriedade vale. Eu prefiro não ter de renegociar o preço mais tarde.	O proprietário precisa compreender que não há riscos aqui. Você precisa dessa informação mais cedo ou mais tarde, e mais cedo é melhor. Como será mostrado no próximo capítulo, você irá rever as operações da propriedade detalhadamente antes de comprar qualquer coisa, então não há motivos para manter as informações em sigilo.
Fale um pouco sobre você e sua empresa.	Nós somos uma empresa de investimento em mercado imobiliário em (sua cidade) e estamos procurando por propriedades nesta área próxima ao centro de Old Town, em Scottsdale. Com as informações corretas, nós estamos preparados para fazer uma oferta em uma semana.	Se o proprietário fizer esta pergunta, esteja preparado para fazer o seu discurso de trinta segundos sobre sua empresa. O proprietário, a esta altura, pode querer ter mais certeza acerca da credibilidade. A ideia aqui é se certificar de que ele saiba que é um profissional, que tem credibilidade e que quer fazer negócio. Você deve demonstrar que é capaz de executar o negócio e que está decidido em relação ao que você quer.

(continua)

O Proprietário Diz	Você Diz	Comentários
Isto me parece legal. Eu vou conseguir as informações necessárias.	Para resumir então: Você consegue até amanhã de manhã a relação de locação e de ocupação e as despesas com as operações? Eu vou mandar meu acordo de confidencialidade imediatamente, e também vou enviar minha carta com a oferta uma semana após ter recebido suas informações.	Para concluir a ligação, repasse a relação de ações pendentes com as datas de entrega.
Fico no aguardo de suas notícias. Muito obrigado. Adeus.	Ótimo. Eu retorno a ligação. Obrigado pela atenção. Adeus.	Conclua a ligação em tom cordial e otimista.

Se o Vendedor não estiver Interessado

O Proprietário Diz	Você Diz	Comentários
Eu não estou interessado.	Compreendo. Eu posso mandar informações a meu respeito e manter contato? E por favor, entre em contato se você reconsiderar.	No caso de rejeição, não feche a porta. Muitas das propriedades que possuo hoje eram originalmente de pessoas que não estavam interessadas na venda em um primeiro momento. Mantenha contato com essas pessoas e ligue para elas trimestralmente. Coloque-as em sua lista de correspondências.

A meta da primeira ligação telefônica é tentar preparar o vendedor, bem como construir as bases de um bom relacionamento. Existem dois tipos de vendedores: os que confiam e os que não confiam. Algumas pessoas podem dar muitas informações que ajudam. Outras podem ser discretas e não estar dispostas a divulgar nada. Qualquer que seja o tipo, mantenha anotações detalhadas sobre tudo o que foi dito, porque é muito pertinente a qualquer negociação futura.

APRENDENDO E FORMANDO UMA REDE DE RELACIONAMENTOS

Independentemente de seu primeiro contato com o dono do imóvel levar ou não a uma eventual compra, isto não é o mais importante. Vale a pena fazer o exercício completo, pois a prática e o aprendizado somente podem vir das tentativas. Penso que não importa o quanto conheço sobre o mercado; eu sempre saio de conversas com donos de imóveis sabendo mais do que antes. Você aprenderá muito mais rápido sobre um mercado e um segmento conversando com proprietários no local.

Outro benefício advém do estabelecimento de uma outra rede de relacionamentos para futuras dicas de mercado. Eu encontrei diversos imóveis dessa forma. Uma vez, entrei em contato com um proprietário a respeito de um imóvel que ele não estava interessado em vender. No entanto, começamos a fazer negócio com outra propriedade a poucas milhas dali e, agora, sou dono desse outro imóvel. Isso aconteceu diversas vezes.

Este processo todo diz respeito a tornar-se um perito, ficar atento e tomar alguma atitude. Então, não fique desencorajado se suas primeiras ligações forem rejeitadas. É como pescar. Você coloca a isca no anzol, puxa e vê o que volta. Depois de um tempo, um ou dois peixes morderão a isca e, então, começa a pesca de verdade. E esse é o foco do próximo capítulo: avaliar o imóvel.

Passos de Ação do Capítulo 6

- Restrinja ainda mais os parâmetros do imóvel almejado, baseando-se na sua primeira análise do seu segmento-alvo.
- Descubra tudo o que puder sobre os imóveis em seu segmento-alvo:
  - → Use sua equipe para ajudá-lo a obter especificações de todos os imóveis.
  - → Crie uma tabela comparativa, para consultar rapidamente valores de aluguel, características e serviços.
- Continue a ler os jornais, especialmente nas áreas de negócios, política e novidades, e reconheça como qualquer mudança pode afetar o mercado imobiliário.
- Ache todas as associações do mercado imobiliário na sua área e filie-se a elas. Compareça às atividades e conheça as pessoas.
- Decida se quer ou não a ajuda de um corretor para encontrar um imóvel.
- Localize e mire as poucas propriedades em que você possa estar interessado em comprar.
- Levante informações sobre o proprietário na internet.
- Ligue e marque um encontro com moradores, donos de lojas e administradores de imóveis para ter mais informações.
- Prepare-se para fazer sua primeira ligação telefônica (você precisará das informações do capítulo 7 para fazer o acompanhamento de qualquer propriedade que possa estar à venda; então, aguarde para fazer as ligações telefônicas!).

Capítulo 7

É realmente um diamante?

Alguém uma vez me disse que uma pessoa comum se lembra somente de três a cinco conceitos em um livro de negócios. Somente de três a cinco! E eu sei que neste livro há dezenas de conceitos apresentados. Então, quais serão lembrados e quais serão esquecidos? Eu não acreditava nisso até pensar nos livros que li recentemente. E eu tenho de admitir: se me lembro de três conceitos em cada um deles é muito. (Eu sempre soube que era uma pessoa comum.)

Bem, eu não estou achando que, com este livro, vou mudar a capacidade de retenção do ser humano típico. E não vou tomar como pessoal se, após a leitura deste livro, você não retiver todas as coisas. Mas ficarei desapontado se você não lembrar os conceitos deste capítulo. De fato, se você esquecer quase tudo que leu neste livro, este é o único capítulo do qual espero que você não somente se lembre, mas também ao qual faça alusão diversas vezes. Porque, se você dominar o processo exposto nas páginas seguintes, sua vida como investidor em imóveis para locação será muito mais fácil. Infinitamente mais fácil!

É verdade que seu sucesso nesse negócio resulta de sua preparação. Esta é não somente a mensagem mas o propósito dos capítulos iniciais deste livro. Mas, independentemente da sua preparação, você pode criar um desastre para si próprio, em questão de segundos, se não conseguir distinguir entre diamante e zircônio. Este é o tempo necessário para assinar seu nome na linha pontilhada de um mau negócio.

Eu sei que parece muito assustador. Existe uma linha tênue separando um bom negócio de um mau negócio. Um negócio pode ser bom ou mau e, felizmente, um mau negócio é fácil de definir. É simplesmente um negócio em que os números não batem. Em outras palavras, é quando a projeção do fluxo de caixa — receita menos despesa — é um número negativo.

Em bons negócios, os números batem.
Em maus negócios, não.

Isso parece extremamente óbvio? Claro que sim. Mas você ficará surpreso com a quantidade de vezes em que os investidores ignoram essa simples verdade. Eles compram imóveis baseando-se no preço pedido pelo vendedor, ou alguma coisa próxima a isso, e não no desempenho operacional da propriedade. Aqui estão alguns princípios a respeito de investimento em imóveis que nós precisamos enfatizar:

- O preço pedido pelo vendedor é irrelevante.
- Você determina o valor do imóvel, que passa a ser o da sua proposta.
- Na existência de muitas unidades, o valor se baseia no fluxo de caixa atual da propriedade.

Esses três princípios são o fundamento de tudo neste capítulo. Isto porque, neste capítulo, vou conduzir você através do meu próprio sistema para a avaliação de imóveis com muitas unidades. Eu tenho usado esse processo durante os últimos quinze anos, com resultados excelentes. Chama-se "Cinco Passos para a Avaliação de Imóveis" e se resume às seguintes etapas:

1. Verifique as receitas (entradas de caixa) do imóvel.
2. Verifique as despesas (saídas de caixa) do imóvel.
3. Determine o lucro líquido operacional (geração de caixa).
4. Descubra a taxa de capitalização e a avaliação.

5. Calcule a prestação do financiamento e apure a geração de caixa e o retorno caixa sobre caixa.*

Eu uso estes cinco passos para determinar a geração de caixa inicial da propriedade e chegar a um preço de oferta. Para tanto, precisamos observar tudo que esteja associado às despesas — incluindo nossos pagamentos com o empréstimo – e às receitas durante nossas análises. No final, temos um quadro realista da capacidade de geração de caixa do imóvel e estamos em condições de apresentar a nossa proposta.

A importância desse processo fica clara quando se pensa da seguinte maneira: você colocaria seu dinheiro em um fundo de investimento sem olhar a performance dos rendimentos anteriores? Você colocaria seu dinheiro num fundo de previdência privada sem conhecer seu índice de rentabilidade? Provavelmente não. Bem, por que investir em mercado imobiliário sem uma estimativa razoável de qual será seu retorno sobre o investimento? Em investimentos imobiliários, o retorno sobre o investimento é chamado de "cash on cash" e é equivalente à geração de caixa líquida como porcentagem do seu desembolso de recursos próprios.

Por exemplo, se você investir US$ 100.000 de recursos próprios em um imóvel e ele gerar US$ 1.000 por mês, o seu retorno caixa sobre caixa é de 12% por ano. Nada mal. Mas se o mesmo imóvel gerar US$ 500 por mês, seus 6% de retorno podem parecer não valer a pena. Você verá a seguir que é cedo demais para chegar a essa conclusão.

Além do mais, o processo descrito neste capítulo permite que você avalie imóveis sem efetivamente fazer uma inspeção física. Você entendeu corretamente. Em mais de 95% dos casos, eu não visito o local antes de completar a avaliação e fazer uma oferta. O que eu poderia realmente aprender fazendo uma visita à propriedade que eu não poderia saber do vendedor a essa altura? Se eu, pessoalmente, visitar cada imóvel em que minha empresa esteja interessada, nós estaríamos sempre visitando imó-

---

* *Nota do Revisor Técnico:* Retorno caixa sobre caixa (cash on cash) é um método utilizado para apurar o retorno sobre o investimento quando não existe mercado secundário ou de revenda com alta liquidez. Aplica-se com frequência em investimentos imobiliários. É calculado mediante a divisão do dinheiro recebido no período pelo dinheiro investido. Considera apenas o resultado líquido antes do imposto (geração de caixa), mas não leva em conta o potencial de valorização do imóvel. Em tese, também não considera a situação tributária do investidor.

veis e não haveria tempo para efetivamente comprá-los. Nesse estágio, eu confio na minha equipe para preencher qualquer eventual lacuna no meu conhecimento sobre o imóvel.

Para citar um caso, acabamos de conseguir uma fiança na última semana em um prédio de 172 apartamentos em Glendale, Arizona. Um dos membros da minha equipe visitou o imóvel enquanto nós revisávamos os números. A negociação durou praticamente três semanas, com algumas redefinições do preço de oferta. Todos os números que usamos na nossa avaliação foram fornecidos pelo vendedor e pelo corretor. Não entenda mal. Eu não vou comprar o imóvel sem andar por cada unidade realizando uma inspeção completa e verificando os números. Eu somente deixo minha equipe fazer grande parte da avaliação preliminar por mim.

Outra transação em andamento é em San Diego. Nós estamos na segunda etapa de negociações e eu ainda tenho de visitar a propriedade. Isto demonstra o nível de confiança que tenho em meus parceiros e nos membros da minha equipe. Se eles se sentem bem em relação à propriedade, então eu também me sinto; eu confio neles implicitamente no que pode ser uma aquisição de US$ 66 milhões.

O importante nesses exemplos é que ofertas não representam nada além de uma oportunidade de olhar para os números e fazer uma suposição inteligente a respeito de como deverá ser o desempenho do imóvel em termos de geração de caixa, com base numa breve avaliação. Como será examinado adiante, você descobrirá os mínimos detalhes sobre o imóvel quando amarrá-lo pelo contrato. Isto é quando você começa o período de análise conhecido como "dever de diligência". Mas não vamos nos precipitar. Vamos dar uma olhada nos cinco passos de avaliação do imóvel. Isto nos fornece a informação necessária para dizer "vá adiante" ou "não vá adiante" em um investimento imobiliário.

PASSO 1: VERIFICAR A RECEITA DA PROPRIEDADE

Mesmo que o vendedor revele a receita atual de um imóvel para locação, por meio de um documento pró-forma ou verbalmente, verifique-a. As receitas dos imóveis são o primeiro e talvez o mais importante fator em investimentos imobiliários. Nos Estados Unidos, ao contrário do seu primeiro financiamento para a compra da casa própria, no qual a garantia é o próprio imóvel, os financiamentos de imóveis para aluguel são na maioria das vezes garantidos pelo potencial de geração de caixa do próprio imóvel. Se você não verificar logo no início as receitas, terá de fazê-lo mais tarde para o banco. Então, não existe momento melhor do que agora. E esta única variável revela logo se o investimento vale a pena.

Antes de continuarmos, vamos definir alguns termos. Existem três tipos de receitas a serem consideradas em qualquer propriedade: receita real, receita potencial real e receita potencial futura.

- Receita real. O total de receita gerada pelo imóvel nos últimos doze meses.
- Receita potencial real. O total de receita que a propriedade poderia ter gerado nos últimos doze meses, caso todas as unidades estivessem ocupadas e caso o proprietário tivesse tirado vantagem de todas as outras oportunidades de receita.
- Receita potencial futura. O total de receita que a propriedade poderia ter gerado se tivesse cobrado o valor de aluguel do mercado atual, se estivesse com 100% de ocupação, e se tivesse tomado vantagem de todas as outras oportunidades de receita.

Quase sempre, a maioria dos proprietários tenta vender os imóveis com base na receita potencial futura. Para você, é mais interessante comprar com base na receita real. Essa é a forma que me agrada: com base em como a propriedade está operando atualmente e o total de dinheiro que ela está gerando. Analogicamente, é como comprar no atacado. Se você compra uma propriedade com base em como ela poderia operar e a receita que poderia gerar no futuro — receita potencial futura —, eu chamo isso de comprar no varejo. Tente evitar compras a varejo a qualquer custo. Comprar certo significa comprar no atacado. Quando você compra o imóvel no atacado, o financiamento imobiliário é mais baixo, o que permite a maximização imediata da rentabilidade do imóvel.

Com a importante distinção entre atacado e varejo desvendada, confie, mas verifique todos os números listados nos anúncios que você receber de corretores e vendedores. Estes anúncios de vendas têm uma estrutura padronizada. Normalmente na parte da frente, há uma foto do prédio e na parte posterior, encontram-se muitos números que descrevem o desempenho das operações da propriedade. Você simplesmente não pode aceitar esses números como verdadeiros, já que eles muitas vezes são exagerados.

Antes de você começar a dizer que Ken McElroy detesta corretores, saiba que na parte inferior de qualquer anúncio constam as seguintes palavras:

> Esta empresa de corretagem não faz garantia ou representação a respeito do conteúdo deste anúncio. É sua responsabilidade confirmar a exatidão e as competências do anúncio. Quaisquer projeções, opiniões, suposições ou estimativas são utilizadas somente como exemplo e não representam a performance atual ou futura da propriedade.

Este aviso torna muito claro que um investidor inteligente deve verificar cada número do anúncio. Se você não fizer, eles estarão basicamente declarando em uma única frase: é sua própria culpa.

Veja a seguir como se verifica a receita, com base nos números de um prospecto de vendas de imóveis, muito comum nos Estados Unidos. As informações desse exemplo foram extraídas da situação real de um imóvel em Phoenix, Arizona. Vamos começar com a tabela de tipos de unidades e valores de aluguéis. Embora esse material não seja comum no Brasil, é possível montá-lo por meio de informações fornecidas pelos proprietários ou corretores.

TABELA DE TIPOS DE UNIDADES E VALORES DE ALUGUÉIS

Trata-se de um quadro no qual se mostram número de unidades, tipo, tamanho e valor do aluguel. Seu propósito é oferecer um cenário da receita, por unidade, e geral, da propriedade. Aqui segue um exemplo:

Número de Unidades	Tipo	Área (m^2)	Área Total (m^2)	Valor do Aluguel	Valor Total do Aluguel	Aluguel /Área (m^2)
6	1/1	60	360	*US$475	*US$2.850	*US$0,73
2	2/1	70	140	*US$575	*US$1.150	*US$0,77
8	Média	65	500	*US$500	*US$4.000	*US$0,74

* A média atual de locação é de US$480 para unidades de dois quartos e US$422 para unidades de um quarto.

Eu uso essa tabela para verificar a receita da locação dos imóveis e, pela minha experiência, ainda tenho de descobrir alguma coisa que demonstre com exatidão o cenário da receita real. Por tal razão, é importante saber ler e analisar esta informação. Vamos olhar um pouco de perto.

Número de Unidades	Tipo	Área (m²)	Área Total (m²)	Valor do Aluguel	Valor Total do Aluguel	Aluguel /Área (m²)
6	1/1	60	360	*US$475	*US$2.850	*US$0,73
2	2/1	70	140	*US$575	*US$1.150	*US$0,77
8	Média	65	500	*US$500	*US$4.000	*US$0,74

* A média atual de locação é de US$480 para unidades de dois quartos e US$422 para unidades de um quarto.

Com estas informações, o proprietário está dizendo a você que o total da locação para as oito unidades nesta propriedade é US$4.000 por mês, valor baseado nas locações listadas na coluna "valor total de aluguel". Mas, nesta tabela especificamente, o vendedor põe asterisco próximo ao valor das locações para indicar que os aluguéis reais são mais baixos. Bem mais baixos, como pode ser observado na parte inferior da tabela. Um comprador inexperiente poderia olhar para esta tabela e concluir que US$ 4.000 é a receita real da propriedade. No entanto, de fato, como o próprio vendedor reconhece (o que, por sinal, é raro), estes US$4.000 representam a receita potencial futura, baseada em aluguéis mais elevados, que podem ou não estar no nível de locação do mercado.

Vamos ver como o cenário de receita muda quando inserimos os números de aluguéis reais para esta propriedade.

Número de Unidades	Tipo	Área (m²)	Área Total (m²)	Valor do Aluguel	Valor Total do Aluguel	Aluguel /Área (m²)
6	1/1	60	360	US$422	US$2.532	US$0,65
2	2/1	70	140	US$480	US$960	US$0,64
8	Média	65	500	US$437	US$3.492	US$0,65

Agora, que os números reais do aluguel estão na tabela, fica claro que as locações utilizadas pelo vendedor ou pelo corretor eram US$63 a mais por unidade do que a propriedade estava de fato gerando. Num período de doze meses, isto equivale a US$6.048. Se você tivesse comprado esta propriedade com base na pró-forma do vendedor, sua receita teria sido mais de US$6.000 abaixo do que a expectativa. Isto não é bom.

E se o vendedor não revelar os valores reais dos alugueres na parte inferior da tabela (e eles frequentemente não o fazem)? Nesse caso, você deve requerer o histórico de locações e usar estes números para os cálculos. Você deveria também verificar os números indicados na parte inferior do anúncio, comparando-os com o verdadeiro histórico de locação. Confie, mas verifique.

E as desocupações e outras receitas?

A essa altura, já verificamos a receita potencial real do imóvel. Lembre-se: essa é a receita que o imóvel poderia gerar com as locações atuais, com 100% de ocupação. Mas certamente é improvável que esse imóvel esteja ou venha a ser ocupado em 100% todos os dias, de todos os anos, durante a eternidade. Então, temos de contabilizar as vagas e a movimentação de entrada e saída dos moradores. E aproveitando isto, devemos considerar qualquer outra receita gerada por fontes como lavanderia, estacionamento etc.

A típica pró-forma lista estes valores também. E, não se surpreenda, também eu tenho percebido que estes números são imprecisos na maioria das vezes. Nem todas as desocupações são relatadas e outras receitas são frequentemente inflacionadas. O importante é tentar projetar o que as desocupações e as outras receitas serão no futuro. É bom saber onde você esteve, mas aonde você está indo é realmente o mais importante. É por isso que o vidro dianteiro é tão grande e o retrovisor é tão pequeno.

Bom-senso irá indicar que, se um apartamento não está alugado, não está gerando receita e, consequentemente, isto reduz seu fluxo de caixa. Mesmo que o índice de desocupação esteja listado na pró-forma, verifique-o com o gerente de propriedade de sua equipe. Ele poderá dizer se o índice de desocupação está acima ou abaixo da média do mercado e saberá isto porque desocupações são, na maioria das vezes, uma função da oferta e da demanda do mercado. Você também pode achar essa informação olhando para o histórico de locações mensais e datas de entradas nos contratos.

A seção de receitas é o local onde o vendedor lista as receitas da propriedade e o índice de desocupação. Isto mostra as receitas das locações menos a média de desocupação da propriedade, valor adicionado das outras receitas que a propriedade gera. A tabela típica de receitas parece com a apresentada a seguir, que contém números tirados diretamente do imóvel em Phoenix. Neste exemplo real, o vendedor ou o corretor está relatando um total de receitas para a propriedade de US$45.120 por ano, usando 7% de índice de desocupação e US$480 de outras receitas. Isso parece muito bom. Mas olhe para os valores de aluguel. Eles se baseiam nos números inflacionados listados na tabela de mix de unidades e locação. Você lembra: eles eram aqueles com os asteriscos. Isto não é bom.

Receita

		Valores previstos (vendedor)
Valor Bruto da Locação		US$48.000
Menos: Desocupação	7%	US$(3.360)
Receita Líquida de Locação		US$44.640
Somado a outras Receitas		US$480
Receita Total		US$45.120

Dê uma olhada na tabela a seguir e observe o que acontece com nossa receita total quando inserimos os valores reais das locações na coluna de projeção. Tenha em mente que o valor da locação é a única coisa que nós mudamos nessa análise. A receita total para esta propriedade caiu US$5.669 (US$45.120 – US$39.451). Isto é muito dinheiro, especialmente se você estava contando com ele. Dura realidade, especialmente se você não estiver preparado.

Receita

		Valores previstos (vendedor)	Valores reais (ano anterior)	Nossa Projeção
Valor Bruto da Locação		US$48.000		US$41.904
Menos: Desocupação	7%	US$(3.360)		US$(2.933)
Receita Líquida de Locação		US$44.640		US$38.971
Somado a outras Receitas		US$480		US$480
Receita Total		US$45.120	US$41.800	US$39.451

Agora, veja os três valores de receita total: o número do vendedor (US$ 45.120); o número do ano anterior (US$ 41.800); e o número da nossa projeção (US$39.451). Em primeiro lugar, vamos comparar o número do vendedor com o número da receita do ano anterior. Isto revela que o relatório das receitas do vendedor é US$3.320 a mais do que a receita das operações do ano anterior (US$45.120 – US$41.800). O vendedor está presumindo que você pode melhorar as operações ocorridas no último ano, isto sem ao menos saber que tipo de gerente você será! Isto não é um elogio; é propaganda enganosa.

Como tenho certeza de que você adivinhou, quando formulei minha oferta, desconsiderei os outros dois números de receitas e usei minha própria projeção, aquela que conduz ao valor verdadeiro das locações de propriedade. A melhor parte da estratégia é: justamente porque os números são reais, eles são fáceis de defender durante o processo de negociação.

Veja como foi fácil verificar receitas, bem como pegar esse tipo de inconsistência nos números. Como já mencionamos, as receitas muitas vezes são exageradas; portanto, não fique chocado se a diferença entre os números do vendedor e os números que você projetou estiverem na casa dos milhares. Isso é comum.

Antes de finalizarmos esta seção, vamos retornar à receita potencial futura. Recorde-se que a receita potencial futura é o total de receita que o imóvel poderia gerar com os valores correntes do mercado, com 100% de ocupação e aproveitando todas as outras oportunidades de receita. Você pode constatar, por meio do seu processo de verificação de receitas, que os aluguéis relatados estão bem abaixo do mercado. Isto poderia ser seu trunfo, então deixe-o escondido na sua manga. É com este tipo de potencial de crescimento de preços que os investidores em propriedades sonham. Com a receita verificada, é hora de voltar nossas atenções às despesas.

PASSO 2: VERIFICAR AS DESPESAS

Despesas são a segunda variável importante a ser considerada. Como já mencionado anteriormente, a definição de receita líquida operacional é receita menos despesas. Na seção anterior, mostramos as especificações que você precisa revisar para estimar a receita potencial de uma propriedade. Nesta seção, você verá como avaliar as despesas.

Como fizemos ao verificar as receitas, você precisa ter uma ideia das despesas atuais. Diferentemente do cálculo das receitas, em que nossa meta era obter 100% do dinheiro de forma exata, com as despesas a meta é chegar a uma aproximação razoável. Descobriremos todos os detalhes mais à frente. Esta é outra área onde sua equipe de profissionais pode ajudar você.

Independentemente de estar ou não usando uma empresa de administração de imóveis, é sempre uma boa ideia convidar um especialista para visitar o imóvel, para ajudá-lo na avaliação de tudo que estiver envolvido na administração. Especialmente se o objeto for um prédio de muitas unidades. Somente ligue e diga: "Estou pensando em comprar um prédio de oito unidades, não tenho certeza se quero administrá-lo sozinho ou se quero contratar uma empresa para fazer o trabalho. Gostaria de mostrar o prédio e conversar com você a respeito". As horas que você passar com o representante da empresa de administração de imóveis serão um bom investimento de tempo. E se você tiver de pagar a essa pessoa uma consultoria, ainda assim, vale a pena. Faça com que o encontro tenha um objetivo duplo. Primeiro, você vai querer saber o que deve ser feito para administrar a propriedade, depois obtenha informações de como minimizar as despesas.

Tenha em mente que, a essa altura do processo, sua meta é ter uma ideia de serviços e reparos em andamento, bem como conhecer as melhorias de que o prédio necessita. Mais adiante, você entrará em mais detalhes. Este é o momento de pôr os números brutos no papel e analisar se o custo dos reparos necessários ainda permite que você tenha lucro. É um verdadeiro ato de equilíbrio entre gastar o suficiente e gastar excessivamente para ter o local em condições. Novamente, o administrador de imóveis poderá ajudá-lo a estimar muitos destes custos.

Esse exercício visa dar-lhe uma ideia da situação de suas despesas, bem como tentar descobrir caminhos para fazer as coisas de maneira melhor, mais inteligente e mais barata. Estas ações aumentarão sua receita líquida e sua lucratividade. Então, quais são as despesas? Para responder a essa pergunta, devemos observar a tabela de despesas estimadas. Ela demonstra as despesas previstas pelo vendedor para o próximo ano (a coluna da pró-forma) e as despesas reais do ano anterior. Para usar um exemplo real, aqui está a tabela referente ao imóvel em Phoenix:

despesas

	Por Unidade	Valores previstos (vendedor)	Valores reais (ano anterior)
Reparos e Manutenção	US$838	US$6.700	US$8.010
Serviços Gerais	US$409	US$3.273	US$3.273
Impostos de Mercado Imobiliário	US$425	US$3.400	US$3.400
Seguro	US$125	US$1.000	US$1.000
Reserva de Reposição	US$150	US$1.200	
Total de Despesas	US$1.947/unidade US$30/m²	US$15.573	US$15.683

Vamos analisar esses dados com mais detalhes e adicionar nossa projeção de despesas. Primeiro, devemos olhar para "Reparos e Manutenção".

	Por Unidade	Valores previstos (vendedor)	Valores reais (ano anterior)	Nossa Projeção
Reparos e Manutenção	US$838	US$6.700	US$8.010	US$8.010

A primeira coisa que me chamou a atenção nessa tabela foi o valor previsto pelo vendedor mais baixo do que o valor do ano anterior. Por alguma razão, esse vendedor ou corretor quer que os compradores acreditem que reparos e manutenção irão de fato reduzir de valor. De fato, o vendedor prevê que reparo e manutenção irão decrescer em mais de US$1.300 em relação ao ano anterior. Eis uma regra geral: à medida que a propriedade envelhece, os custos de reparo e manutenção aumentam. O bom-senso diz que as despesas no próximo ano serão as mesmas ou ainda maiores. Mantenhamos as coisas simples aqui. Para realizar as projeções, irei usar o número do ano anterior — US$8.010 —, mesmo sabendo que este número poderia ser baixo. O tempo irá dizer.

A seguir, vamos examinar os serviços gerais:

	Por Unidade	**Valores previstos (vendedor)**	**Valores reais (ano anterior)**	**Nossa Projeção**
Serviços Gerais	US$409	US$3.273	US$3.273	US$3.273

Os serviços gerais na previsão do vendedor parecem compatíveis com as despesas do ano anterior, mas é bom preveni-lo: esses gastos normalmente têm aumentos padronizados anualmente. Nessa previsão, o vendedor não projeta qualquer aumento. Por enquanto, iremos usar a previsão do vendedor, mas você obtém uma projeção bem realista simplesmente entrando em contato com empresas de serviços gerais.

Que tal a próxima linha: "Impostos de Mercado Imobiliário?".

	Por Unidade	**Valores previstos (vendedor)**	**Valores reais (ano anterior)**	**Nossa Projeção**
Impostos de Mercado Imobiliário	US$425	US$3.400	US$3.400	US$3.400

As despesas com impostos predial e territorial são simples de determinar com muita precisão. Muitas vezes, a informação está disponível na internet na maior parte das áreas. Na maioria dos casos, você deverá ver não somente os impostos dos anos anteriores, como também as projeções para um ou dois anos. Concentre-se no futuro e utilize a tributação dos próximos anos como sua projeção.

Compreenda que, diversas vezes, vendas de propriedades disparam aumentos de impostos, então você pode querer consultar um membro especializado em impostos da sua equipe a respeito do assunto. Para a avaliação de despesa, considero a informação do vendedor precisa.

Agora é a linha de seguro.

	Por Unidade	Valores previstos (vendedor)	Valores reais (ano anterior)	Nossa Projeção
Seguro	US$125	US$1.000	US$1.000	US$1.200

Seguro é um negócio volátil e as taxas podem variar bastante entre as seguradoras. Minha sugestão é: você contata alguns corretores de seguro e solicita que apresentem uma proposta de seguro para o imóvel. Você utiliza esse número em suas projeções. À medida que seus negócios forem crescendo, você pode agrupar todos os seus imóveis em um único programa de seguro, o qual gerará economias substanciais. Nós fazemos isto anualmente para conseguir preços mais baixos. Pela nossa análise de despesas na propriedade de Phoenix, aumentamos nossa estimativa futura para US$1.200 por ano, com base em minha experiência pessoal.

Finalmente, devemos olhar "Reserva de Reposição"

	Por Unidade	Valores previstos (vendedor)	Valores reais (ano anterior)	Nossa Projeção
Reserva de Reposição	US$150	US$1.200		US$1.200

A reserva de reposição é o fundo que você faz para a inevitável substituição de itens essenciais, tais como: utensílios, carpetes, bancadas, telhados e assim por diante. Eu fico muito nervoso quando vejo que o vendedor não gastou um centavo na propriedade no ano anterior, como esta tabela demonstra. Mais ainda, o corretor ou o vendedor projeta um adicional de US$1.200 para o novo comprador e, confie em mim, isto não é um presente. Isto me diz que esse imóvel tem alguma manutenção adiada, com valor provavelmente maior do que os US$1.200 estimados. Para esta oferta, mantenho o número em US$1.200 por ora, mas, após ter percorrido o imóvel, é possível que eu tenha uma opinião diferente.

Ajuste de despesas

A esta altura, nós temos os números necessários para completar nossa análise. Agora, pegamos nossa calculadora e consolidamos os totais de despesas. Lembre-se de que nós não visitamos o imóvel e, uma vez feito isto, nós podemos ajustar os números novamente, baseados no que encontraremos durante nossas inspeções.

Aqui estão nossos totais:

despesas

	Por Unidade	Valores previstos (vendedor)	Valores reais (ano anterior)	Nossa Projeção
Reparos e Manutenção	US$838	US$6.700	US$8.010	US$8.010
Serviços Gerais	US$409	US$3.273	US$3.273	US$3.273
Impostos de Mercado	US$425	US$3.400	US$3.400	US$3.400
Imobiliário	US$125	US$1.000	US$1.000	US$1.200
Seguro	US$150	US$1.200		US$1.200
Reserva de Reposição	US$1.947/unidade	US$15.573	US$15.683	US$17.083
Total de Despesas	US$30/m²			

Dê uma olhada na linha do total das despesas para ver como os números diferem. Como é possível observar, a distância é significante, de US$15.573 para US$17.083. São US$1.510 (US$17.083 – US$ 15.573) de diferença entre nossa projeção de despesas para operar a propriedade e as despesas previstas pelo vendedor. Se você comprou esse imóvel sem passar pelo exercício, a quantia de US$1.510 pode ter sido dinheiro tirado do seu resultado final.

PASSO 3: DETERMINAR A RECEITA LÍQUIDA OPERACIONAL

Após ter determinado seu potencial de receita para a propriedade e você possuir uma boa estimativa das despesas, é preciso determinar a receita operacional líquida (ROL). Este é um número muito importante, porque você deverá basear sua oferta nele. Para calculá-lo, você simplesmente subtrai suas despesas das suas receitas. Espero que você tenha um número elevado e positivo. Quanto maior, melhor! Mas, antes que fique muito empolgado quando vir o número, o qual é um indicador da geração de caixa líquida, lembre-se que ele não inclui seu pagamento de empréstimo. O pagamento de empréstimo será determinado pelo valor pago pela propriedade, sua entrada e a taxa de juros.

ROL (Receita Operacional Líquida) = Receita – Despesas

Receita

		Valores previstos (vendedor)	Valores reais (ano anterior)	Nossa Projeção
Valor Bruto da Locação		US$48.000		US$41.904
Menos: Desocupação	7%	US$(3.360)		US$(2.933)
Receita Líquida de Locação		US$44.640		US$38.971
Somado a outras Receitas		US$480		US$480
Receita Total		US$45.120	US$41.800	US$39.451

despesas

	Por Unidade	Valores previstos (vendedor)	Valores reais (ano anterior)	Nossa Projeção
Reparos e Manutenção	US$838	US$6.700	US$8.010	US$8.010
Serviços Gerais	US$409	US$3.273	US$3.273	US$3.273
Impostos de Mercado	US$425	US$3.400	US$3.400	US$3.400
Imobiliário	US$125	US$1.000	US$1.000	US$1.200
Seguro	US$150	US$1.200		US$1.200
Reserva de Reposição	US$1.947/unidade	US$15.573	US$15.683	US$17.083
Total de Despesas	US$30/m²			

Agora, vem a parte fácil. Pegue sua receita total projetada (US$39.451), subtraia da sua despesa total projetada (US$17.083), e então obterá sua receita operacional líquida (US$22.368).

Vamos olhar a ROL um pouco mais de perto para ter uma ideia geral do cenário.

Receita Líquida Operacional

	Valores previstos (vendedor)	Valores reais (ano anterior)	Nossa Projeção
Total de Receitas	US$45.120	US$41.800	US$39.451
(Menos) Total de Despesas	US$15.573	US$15.683	US$17.083
Receita Líquida Operacional	US$29.547	US$26.117	US$22.368

Esta tabela revela algo impressionante: a receita líquida operacional da previsão do vendedor é US$7.179 (US$29.547 – US$22.368) mais alta do que nossa receita líquida projetada. Essa é uma diferença significativa e poderia certamente conduzir um comprador desavisado ao fracasso. Repito: receita operacional líquida é um número muito importante e daqui a pouco você vai descobrir o motivo.

PASSO 4: ENCONTRE A TAXA DE CAPITALIZAÇÃO E A AVALIAÇÃO

Taxa de capitalização? Eu sei que você está pensando que isso está começando a ficar complicado; definitivamente, parece terceiro ano da faculdade de contabilidade. Bem, antes de você fechar o livro, permita-me explicar. Primeiro, parece mais complicado do que realmente é. Em termos numéricos, taxa de capitalização é a receita operacional líquida dividida pelo preço de compra.

Taxa de Capitalização =
Receita Operacional Líquida / Preço de Compra

Então, agora você está pensando, "Ken, como eu posso calcular a taxa de capitalização se eu não tenho ainda o preço de compra? Afinal, isso é o que eu estou tentando descobrir por meio de todo este exercício.

Não me diga que envolve álgebra!". Não, não envolve álgebra. É de fato muito fácil. O preço de compra aqui é, na verdade, o preço estimado com base nas tendências do mercado ou preços prováveis para imóveis comparáveis na mesma área. Então, esta palavra complicada é de fato algo que você pode conseguir com corretores, agentes imobiliários ou até nos documentos pró-forma da propriedade. Neste negócio, as pessoas — os membros de sua equipe — também irão conhecer a taxa de capitalização para o seu mercado ou irão ajudar você a calcular, e é só o que você precisa saber.

Para determinar quanto o imóvel realmente vale — em outras palavras, a avaliação da propriedade —, você simplesmente divide a receita líquida operacional pela taxa de capitalização. O número obtido é a avaliação do imóvel. Eu chamei de preço de compra na fórmula anterior. E a avaliação é o valor da sua primeira proposta.

Valor do imóvel e preço proposto =
Receita Operacional Líquida / Taxa de Capitalização

Então, vamos continuar com nosso exemplo real. A taxa de capitalização usada no imóvel de Phoenix foi 8,74%, taxa padrão adotada pelo corretor. Nesse estágio, eu devo somente usar a taxa de capitalização fornecida. Só faz sentido utilizar outra taxa mais tarde se for necessário. Assim, dividiremos nossa receita operacional líquida por nossa taxa de capitalização e obteremos US$ 255.926, que é a avaliação do imóvel e o valor da primeira proposta.

US$22.368 / 0,0874 por cento = US$255.926
A oferta não deveria ser mais do que US$256.000

Chegamos! Nós temos um preço de oferta! Mas falta alguma coisa. Ah, sim, você provavelmente está imaginando qual foi o preço solicitado pelo vendedor desse imóvel. Eu não manterei suspense. O preço solicitado pelo vendedor foi US$338.000. É claro que este preço parece muito alto. Aqui está uma demonstração de como esse preço é realmente alto. Se você comprar esse imóvel com 10% de recursos próprios, o total das prestações anuais do financiamento, a juros de 7,5% ao ano, seria de US$ 25.524. Lembra da nossa projeção de receita operacional líquida? Vou refrescar a sua memória: foi US$22.368. Percebeu o problema? A receita não é suficiente nem para pagar as prestações do financiamento. Se você comprar esse imóvel pelo preço anunciado de US$338.000 ou até US$300.000, estaria imediatamente em uma situação de fluxo de caixa negativo.

Você está pensando que eu tirei nosso exemplo do prospecto de alguma corretora pequena e inexperiente, certo? Errado. Foi exatamente o oposto. Esse prospecto foi preparado e distribuído por uma das maiores corretoras dos Estados Unidos.

PASSO 5: CALCULE O PAGAMENTO DO EMPRÉSTIMO E O RETORNO CAIXA SOBRE CAIXA

Partindo da premissa de que você e o vendedor concordam com o preço de US$256.000, agora é hora de calcular a prestação do financiamento.

Neste momento, os membros financeiros de sua equipe ou o corretor podem atuar, mas eu fiz isso sozinho, em questão de segundos. Bastou acessar a internet e digitar no site de busca Google as palavras "pagamento de financiamento imobiliário" e surgiram diversas calculadoras de hipoteca. Eu digitei dois números: o valor total do financiamento e a taxa de juros. Instantaneamente, a tabela de pagamento da hipoteca apareceu! Eu amo o século XXI.

Vamos voltar ao nosso exemplo real. O número que usei baseava-se no nosso preço de oferta, sendo 10% ou US$25.600 de recursos próprios, com as mesmas taxas de juros de 7,5%. A calculadora da hipoteca me deu um resultado de US$20.010 para o pagamento do empréstimo. Certamente, um número mais aceitável, se você levar em conta que sua projeção de receita líquida operacional era US$22.368.

O último passo é descobrir o lucro efetivo, subtraindo da receita operacional líquida a prestação do financiamento. Partindo da receita operacional líquida, de US$22.368, e dela subtraindo a prestação do empréstimo, de US$20.010, a previsão de lucro efetivo nesse imóvel é de US$2.358. Isso é bom ou ruim? Bem, eis como você pode saber. Você calcula seu retorno caixa sobre caixa, que, como você já sabe, é o rendimento do negócio apenas em termos de entrada e saída de caixa ou dinheiro.

Para calcular retorno caixa sobre caixa, divida o lucro efetivo, de US$ 2.358, pelo desembolso de recursos próprios, de US$25.600. Nesse caso, o retorno caixa sobre caixa é 9,2%. Nada mal.

Retorno caixa sobre caixa =
Lucro efetivo / Desembolso de recursos próprios

Parabéns! Se você comprar esse imóvel por US$ 256.000, com 10% de recursos próprios, o retorno sobre o investimento, em termos de caixa, será de 9,2%.

Estes cinco passos — Os Cinco Passos de Avaliação de Propriedade — são os mais importantes conceitos deste livro. Eles lhe proporcionam meios para avaliar investimentos imobiliários como um profissional. Eles lhe conferem poder e confiança. Eles fornecem referências ou paradigmas realistas e baseados em fatos reais para fazer as melhores escolhas de imóveis. Eles dão a base para que você negocie com o vendedor de maneira objetiva. Eles dão paz de espírito, mostrando que você não está entrando em algo arriscado.

Se você se der o trabalho de reunir informações de receitas e despesas claramente descritas neste capítulo, saberá o que é necessário para administrar esse imóvel e quanto dinheiro pode esperar dele. Você estará bem informado antes mesmo de falar com o vendedor novamente e, decerto, antes de apresentar uma proposta. Eu compro todas os meus imóveis para locação dessa maneira, percorrendo exatamente esse roteiro de cinco fases. Eu nunca poderia sonhar fazer de outra forma. Eu gosto de dormir bem.

Passos de Ação do Capítulo 7

- Entre em malas diretas para obter diversos prospectos de imóveis e ponha em prática o processo dos Cinco Passos de Avaliação de Propriedade.
- Utilize os números informados pelo vendedor para calcular seu preço de oferta.
- Observe que, quando você seguir esses passos na vida real, confirmará todas as previsões com os membros de sua equipe.
- Comece fazendo ligações para proprietários para discutir a compra de imóveis em que você esteja interessado.
- Aplique esse processo de avaliação a uma situação real, com números reais.

CAPÍTULO 8

O grande compromisso

O último capítulo foi inteiramente dedicado à avaliação de um imóvel; essencialmente, a elaboração da justificativa ou argumento de compra. Os cinco passos da avaliação de imóveis são como embarcar em uma missão em busca das informações necessárias para visualizar uma imagem instantânea do imóvel. Eu digo imagem porque você realmente não irá conhecer tudo a respeito do imóvel. Você terá uma boa ideia do imóvel e uma noção de por que ele se encontra nessa situação. Você pode ainda ter uma ideia de seu comportamento no futuro. Mas você irá saber bem menos do que 100% de tudo que precisa saber. E isso não tem problema. Ao menos, a imagem é concreta e real e se baseia em números e fatos. Haverá tempo para descobrir todos os detalhes durante a fase de cumprimento do dever de diligência.

Compromissos são difíceis, pelo menos para mim. Experimente perguntar à minha mulher. Contudo, agradeço a ela por ter aprendido há muito tempo como reconhecer uma coisa boa. O mesmo vale para imóveis. Eu já melhorei muito na hora de assumir compromissos, especialmente se eu seguir uma simples regra: quando conheço 70% sobre tudo que preciso saber em relação a um imóvel, já é o suficiente para tomar uma decisão. Para mim, 60% é muito pouco e, se eu esperar até conhecer 90%, ou alguém terá passado à minha frente ou eu caio na armadilha de nunca ter informação suficiente para tomar uma decisão. Como gosto de dizer, análise paralisante. Olhando para trás, eu provavelmente não sabia

70% de tudo que deveria saber a respeito da minha mulher quando contraí o grande compromisso. Pode-se dizer que eu tive sorte. Isso ocorreu no casamento. Não tente sua sorte no mercado imobiliário.

Antes de irmos adiante, eu gostaria de esclarecer que, se, após sua análise, você não concluir que o imóvel é um bom investimento ou, em outras palavras, constatar que a geração de caixa líquida é muito baixa, é bom desistir do negócio ou propor um preço bem menor para fazer os números baterem. Esses números não mentem e, a não ser que sua matemática esteja errada, as estimativas que você calculou são reais. É perfeitamente plausível desistir, embora você possa sentir como se tivesse trabalhado muito por nada. Mas lembre-se: cada passo neste processo é uma experiência de aprendizagem e, com todo esse exercício, com tantos, depois de numerosas visitas a imóveis, você ficará mais tarimbado. Da próxima vez, você será duas vezes mais rápido e três vezes mais experiente. Aprendizagem nunca é perda de tempo.

Eu desisto da maioria dos negócios nesse ponto crítico. Eu faço tal afirmação porque, a essa altura, a maioria das pessoas está emocionalmente envolvida com o imóvel e com o processo, e relutante em dizer não. Para mim, bastam trinta minutos para realizar o processo de cinco passos de avaliação de propriedade, uma vez que disponha de todas as informações necessárias. Eu utilizo os números e o meu bom-senso para mudar para o próximo negócio se aquele em que estou trabalhando não está de acordo.

Se você chegar à conclusão de que o imóvel ainda parece uma boa ideia, descobrirá que o seu alto nível de preparação o coloca em excelente posição para a negociação, porque todos os números e todos os fatos estão ao seu alcance. E acredite em mim: números e fatos tiram a emoção do processo. Mas sejamos realistas. Pode haver alguma hostilidade por parte do vendedor, que pensa que o imóvel vale muito mais do que você demonstrou valer realmente; isso acontece diversas vezes. Mas a diferença é que, munido dos números, você não está simplesmente entrando no escritório do vendedor e fazendo uma oferta baixa. Ao contrário, você tem um argumento bem desenvolvido, baseado em pesquisas e fatos, calculado com fórmulas-padrão da indústria e um valor realista de oferta. Não importa a resistência do vendedor, tanto ele quanto você saberão que a oferta apresentada é justa. Talvez demore mais para o vendedor chegar a essa conclusão.

Agora é hora de convencer o vendedor a vender o imóvel para você.

Quando você se sente confortável em relação aos números e toma a decisão de compra, terá vencido uma grande etapa. Nessa fase do processo, a meta é garantir o negócio. O que eu quero dizer com isso é que é hora de tirar o imóvel do mercado, por meio de uma *proposta de compra* ou de um *recibo de sinal*. Quanto mais depressa for lavrado o recibo de sinal, mais rapidamente o imóvel estará indisponível para outras ofertas competitivas, sob pena de devolução do sinal em dobro pelo vendedor. Quanto mais rápido você puder garantir o imóvel, maior será a chance de fechar o negócio pelo seu preço. Esta é a razão pela qual tento completar os passos do capítulo anterior dentro das 48 horas do recebimento de todas as informações necessárias. Levou anos para dinamizar o processo, mas também ganhamos diversos negócios graças à nossa rapidez.

Independentemente de levar dois dias ou duas semanas, uma vez tomada a decisão de comprar, existem certos procedimentos padronizados para a compra de imóveis. Lembre-se: a meta é tanto quanto possível garantir o imóvel e, durante este tempo, negociar as condições da venda e, igualmente importante, revisar o imóvel e suas operações nos mínimos detalhes. Quando você acabar de fazer isto, poderá achar que sua proposta foi muito elevada e precisa de ajustes. Ou pode perceber que o valor foi correto. Se for muito baixa, deixe que sua consciência seja seu guia.

PROPOSTA DE COMPRA

Depois de avaliar o imóvel, com base nos cinco passos do capítulo anterior, você estará pronto para elaborar a proposta de compra ou o recibo de sinal. Eu prefiro começar com a proposta de compra para definir os principais pontos do negócio, antes de partir para o recibo de sinal.

A proposta de compra é a base para o início das negociações com o vendedor, que analisará as condições pretendidas pelo proponente, questionará alguns pontos e apresentará sua contraproposta. É um processo de idas e vindas que pode demorar algumas semanas.

Saiba que, por enquanto, durante essas negociações, o imóvel ainda não está fora do mercado. De fato, eu recentemente perdi um imóvel durante essa fase de negociação. Você pode imaginar como eu me senti. Sem o nosso conhecimento, o vendedor estava trabalhando com outro comprador e utilizou nossa proposta para melhorar as condições do outro proponente.

RECIBO DE SINAL

Uma vez que ambos — comprador e vendedor — concordarem com as condições da proposta de compra, você deve pedir a seu advogado que prepare o recibo de sinal. O recibo de sinal é o documento em que se especificam as condições da compra e venda e o que compete ao comprador e ao vendedor para concluir o negócio.

Quando você estiver pronto, de fato, para assinar o recibo de sinal, terá de dispor de uma certa quantia para o pagamento do sinal, que é totalmente reembolsável, até a confirmação das informações referentes ao imóvel, inclusive mediante certidões (dever de diligência) e o cumprimento de todas as formalidades para a obtenção de financiamento.

CONTINGÊNCIAS

Seu advogado estará apto a orientá-lo a respeito das contingências, ou seja, cláusulas contratuais que preveem a não realização do negócio, no caso de algumas hipóteses. Exemplos típicos são a descoberta de fatos até então ignorados, referentes ao vendedor ou ao imóvel, que venham a ser revelados pelas certidões ou por investigações posteriores, e a não obtenção de financiamento pelo comprador para concluir o negócio, nas condições previstas na proposta de compra.

ASSINATURA DO RECIBO DE SINAL

O acordo de sinal é obrigatório para ambas as partes. Em caso de desistência, o comprador perde o sinal ou o vendedor devolve o sinal em dobro, dependendo de quem tomar a iniciativa. Mas, como vimos, o comprador tem direito à devolução do adiantamento, na hipótese de ocorrência das contingências previstas no recibo de sinal.

Passos de Ação do Capítulo Oito

- Recorra a seu corretor de imóveis ou a seu advogado para elaborar a proposta de compra e o recibo de sinal.
- No recibo de sinal, tenha muito cuidado ao prever e redigir as cláusulas de contingências, envolvendo incertezas quanto ao imóvel, ao proprietário e ao financiamento.
- Continue procurando imóveis, avalie-os e quando encontrar um negócio cujos números sejam consistentes, parta para a fase da proposta formal e do recibo de sinal.

CAPÍTULO 9

Dever de diligência: Não caia em armadilhas

Dever de diligência, conforme as leis brasileiras, é "o cuidado e diligência que todo homem ativo e probo costuma empregar na administração dos seus próprios negócios" (Lei 6.404/76).

E é exatamente assim que você precisa comportar-se durante o período de cumprimento do dever de diligência na análise de um imóvel. Você precisa revisar meticulosamente toda a documentação pertinente às operações do imóvel, precisa agir de forma atenta, visitando cada apartamento, precisa prestar atenção em cada detalhe, precisa estar atento à forma de melhorar a propriedade e cortar despesas, precisa ser atencioso para com as tarefas e entregá-las pontualmente e, por fim, precisa ser meticuloso em sua avaliação e nos relatórios.

É a sua oportunidade de examinar com o máximo de cuidado toda a documentação referente ao imóvel e relatar o que há de certo e de errado. É o momento em que você faz uma avaliação detalhada dos custos reais para melhorias na propriedade, manutenção rotineira e operações. É a última chance de se certificar acerca da revelação de cada falha escondida, ser avisado de cada possibilidade de problema e projetar realisticamente as oportunidades.

A meta do dever de diligência é descobrir tudo que tem para ser conhecido em relação ao imóvel e gerar um plano e um orçamento operacional com base nessas informações.

Ao longo de todos esses anos em que tenho comprado imóveis, sempre desvendei todas as armadilhas possíveis durante a fase de diligências. Em um prédio, enquanto percorria com atenção cada unidade, descobria tudo sobre unidades vagas que estavam supostamente ocupadas (falsificação de histórico de locação), unidades que não podiam ser alugadas, pois a instalação tinha sido removida para consertar outros apartamentos alugados (canibalização de unidades), uma cobra de três metros que um morador deixou para trás, um homem nu no que deveria ser um apartamento vago, telhados danificados de forma que eu conseguia ver a luz do dia, falta de inúmeros utensílios, unidades sem carpetes e diversos outros problemas.

Você pode se surpreender com o que vai encontrar. Ou, em alguns casos, não haverá mais surpresa alguma. Mas, de qualquer jeito, com a conclusão de todo o processo, seu descanso será maior se tiver certeza de que a propriedade comprada não traz segredos. Você irá adorar a cláusula do seu recibo de sinal que dispõe que as unidades devem estar prontas para a locação.

Neste momento, você deve estar provavelmente pensando que existem milhares de coisas a serem analisadas em relação a uma propriedade, e que levaria um ano para concluir o processo. Você está certo. Existem muitas coisas para serem analisadas e avaliadas, mas você está errado a respeito do tempo necessário. A má notícia é que você não tem um ano para a realização das diligências referentes ao imóvel.

Para mim, o dever de diligência é algo divertido. Eu acho que essa sensação decorre do elemento surpresa e do encontro com o inesperado — tanto para o bom quanto para o ruim. Você simplesmente nunca sabe o que irá encontrar. No entanto, você tem de estar preparado. Em todo caso, em virtude de ter sido atento na avaliação inicial do imóvel, eu acredito que tudo o que eu achar é reparável. Também vejo como consolo o fato de que qualquer coisa que vier a encontrar que me custe dinheiro para consertar poderá ser negociada antes de fechar a venda. É isto mesmo: se você perceber que o imóvel requer algum tipo de reparo de maior porte, tal como um telhado novo, pintura externa, novos utensílios, descupinização e remoção de cobras e homens nus, pode fazer estimativas e incluir estes custos na avaliação final e no preço de compra. Isto é o que chamo de "descobrir as armadilhas".

A CHECAGEM DA APLICAÇÃO DE DÍVIDA

Como já mencionei, tenho cumprido muito bem o dever de diligência. Eu já vi de tudo, e o nosso checklist do dever de diligência foi compilado com base em mais de quinze anos de experiência. Durante anos, sempre que pensávamos ter tudo na lista, deparávamos com um imóvel que colocava em dúvida nossa certeza. Há aproximadamente um ano, esta lista não mudou. Nós realmente sentimos que "agora" ela está completa.

O checklist da aplicação de dívida

A auditoria de documentação

Objetivo: Verificar o cálculo do potencial real de receita

PROCURE:

- Contratos de locação assinados que efetivamente vinculem os locatários.
- Taxas mensais de locação presentes no histórico de locação que reflitam os números utilizados em sua oferta.
- Depósitos de garantia que reflitam os totais relatados para o agente de fiança. Como eles pertencem aos moradores, serão transferidos aos novos proprietários.
- Nível dos moradores em cada unidade. Eles pagam em dia? Criam problemas com outros moradores? Têm experiência de crédito? Seu histórico criminal apresenta algum registro?

A INSPEÇÃO DO INTERIOR

Objetivo: Ajudar você a conhecer a parte física da propriedade, ter noção do nível dos moradores e entender a exposição do seu fluxo de caixa futuro, em caso de você comprar a propriedade. Você determinará a condição real da propriedade e terá uma noção da extensão dos reparos principais.

PROCURE:

- Pistas a respeito do estilo de vida dos moradores atuais. Eu já presenciei de tudo, desde tráfico de drogas até pessoas vivendo em condições precárias. Pense a respeito do que você está vendo. Um morador vivendo sem móveis, dormindo no chão e mantendo seus pertences numa sacola pode representar uma futura desocupação.

- Moradores que não estão vivendo em unidades classificadas pelo vendedor como alugadas. Alguns vendedores inflam seus históricos de locação e listam moradores que não existem na realidade, ou simplesmente têm registros tão ruins que não conhecem sequer o cenário atual de locação.
- Ausência de móveis, utensílios ou existência de itens próximos ao fim de sua vida útil. Faça uma lista de todos os utensílios, carpetes, piso e bancadas que se enquadram nesta categoria.
- Estragos na propriedade devido a: água, fogo ou atividades do morador.
- Sinais indicativos de problemas como pragas nas unidades e documentação de qualquer controle necessário de pragas.

Revisão das agências governamentais

Objetivo: Determinar se a propriedade está de acordo com os padrões governamentais.

PROCURE:

- Códigos de Violação de Incêndio. Eu convido o Corpo de Bombeiros para vistoriar o prédio. A inspeção com o nosso projeto de Portland descobriu um sistema velho de combate a incêndio, em situação tão precária que mesmo os antigos donos desconheciam.
- Problemas com licenças vencidas. Foram adicionadas piscinas, extensões, remodelagens etc. sem a permissão necessária?
- Problemas ambientais como asbestos, fungos e substâncias químicas tóxicas.
- Existência de questões relativas à apropriação, como violações de zonas ou invasões em outra propriedade.

Revisão de acordo de serviço

Objetivo: Estabelecer os acordos de serviço do proprietário atual e procurar maneiras de melhorá-los, caso permaneçam inalterados após a transferência de propriedade.

PROCURE:

- Acordo de serviços de piscina.
- Acordo de serviços de calefação, refrigeração e manutenção de temperatura.
- Contratos de jardinagem.
- Contratos de serviço de oferecimento de equipamentos automáticos de lavanderia.
- Contratos de alarme e telefonia.
- Contratos de estacionamento.
- Contratos de publicidade.

Inspeções externas

Objetivo: Avaliar todos os componentes externos da propriedade e determinar quando eles necessitarão de reparo ou substituição.

PROCURE:

- Problemas com o telhado, incluindo sinais de vazamento e falta de reparo e desgaste em geral.
- A condição dos sistemas de calefação, ventilação, refrigeração e do serviço de equipamentos e registro de manutenção. Qual o histórico de reparo e idade de cada peça do equipamento?
- Fiação elétrica que não esteja de acordo com os códigos atuais.
- Encanamento antigo, corroído e desgastado. Cobre, PVC e encanamentos galvanizados, todos têm seus problemas característicos.
- O estado da pintura externa e dos jardins.
- O estado das pistas e dos estacionamentos. Eles estão rachados e cheios de buracos? Que reparos são necessários?
- Problemas de jardinagem, incluindo quebra do sistema de irrigação, grandes árvores que precisam ser aparadas e crescimento de raízes que estejam rachando calçadas ou causando problemas na base.

A proposta deste processo completo de inspeção é estimar o custo de cada item da lista. Não simplesmente com a finalidade de verificação do custo, mas para chegar a um número total que nos permita discutir com o vendedor. E se o imóvel não cumprir as exigências do Corpo de Bombeiros? E se existirem riscos ambientais? E se três das oito unidades necessitarem claramente de carpetes novos? Em muitos casos, se você chamar a atenção do vendedor para estas questões, elas podem ser resolvidas antes de você fechar o negócio. Isso poupa seu dinheiro, em alguns casos bastante dinheiro.

LIVROS E REGISTROS

O conhecimento de tudo a respeito das condições físicas da propriedade faz-se tão importante quanto o aprofundamento do conhecimento em suas operações. Isto significa olhar os livros e registros. Este também é o momento para iniciar a reunião de informações para o seu orçamento de operação pela categorização das receitas e das despesas. Estas são as coisas que revisarei detalhadamente:

- Declaração de 24 meses de receitas e de despesas. Comparo as receitas e despesas com as projeções. Este é o momento de tomar notas para o orçamento operacional e desvendar todas as despesas não corriqueiras ou grandes períodos de perda de locação. Discuta esse assunto com o seu vendedor ou corretor antes de terminar o período de aplicação de dívida. Você definitivamente quer cumprir seus prazos.
- Todos os acordos de serviço. Eu procuro por aqueles acordos que possuam cláusulas com término superior a 30 dias. Eu me certifico de que estes custos estejam previstos no orçamento operacional, se o serviço é necessário ou não, bem como quais serviços estão faltando. Eu avalio a empresa atual de gerenciamento e determino se eles devem permanecer ou sair. Eu revejo efetivamente todos esses acordos de publicidade. Vale a pena utilizar seu tempo para olhar todos esses acordos, porque você pode ficar preso a eles. Qualquer contrato que você não queira aceitar demanda a evidência da intenção antes da finalização da aplicação de dívida.
- Histórico de locação atual: Quando verifico a receita real, a receita potencial real e a receita potencial futura minuciosamente. Dê uma olhada cuidadosa em cada unidade que esteja com preço inferior ao do mercado de locação. Isto é seu grande trunfo, pois criará um aumento no seu fluxo de caixa após você ter comprado a propriedade.

Tome notas detalhadas para o seu plano de gerenciamento e orçamento operacional.

- Contas de Serviços. Aqui, verifico todos os serviços. Chame as empresas de serviços e levante o histórico de operação dos últimos 12 meses em cada conta. Pergunte a respeito de aumentos para os próximos anos. Finalmente, insira as contas revisadas no seu orçamento.
- Informação de Folha de Pagamento. Em grandes propriedades verifico quem está trabalhando na propriedade e quanto eles estão recebendo, especialmente se eu quero que eles fiquem e trabalhem para mim ou para a empresa de gerenciamento. Se você assumir esses empregados, trate-os como novos contratados. Busque informações exatas acerca de férias vencidas. Nós também gerenciamos um histórico de crédito em todos os novos contratados.

Para mim, o cumprimento do dever de diligência é um momento empolgante. Obviamente, pego algumas boas histórias em função do que vejo; porém, o mais importante é que sei que qualquer coisa encontrada será documentada para a próxima etapa de discussão com o vendedor. A papelada referente ao cumprimento do dever de diligência é o meu boletim para avaliar quão bem eu estimei os números durante os cinco passos de avaliação do imóvel. Em muitos casos, os problemas encontrados nessa fase também resultam em uma redução no preço do imóvel ou, melhor ainda, eles são solucionados antes do fechamento do negócio.

Este tipo de informação irá ajudá-lo a ser mais bem-sucedido em qualquer imóvel que vier a comprar. Nós, recentemente, encontramos uma nova empresa de jardinagem desta maneira. Eu recebi um contrato mensal de jardinagem em uma propriedade que nós estávamos considerando. A empresa parecia ótima e eu fiquei surpreso em ver que o custo apresentado era muito mais baixo do que aquele que eu estava pagando em uma das minhas outras propriedades. De fato, era mais baixo do que eu tinha orçado para esse projeto! Este achado me propiciou a economia de muito dinheiro, porque agora esta empresa de jardinagem realiza boa parte de nosso trabalho nesse e em outros imóveis nossos.

Independente desses achados valiosos, como uma ótima empresa de jardinagem que eu não conhecia antes ou problemas ocultos que teriam um impacto negativo no fluxo de caixa se não tivessem sido descobertos, eu estou feliz. Feliz porque oportunidades adicionais de receita são sempre ótimas, e feliz também porque qualquer problema desvendado me proporciona maior poder de barganha. Somente as coisas que não são encontradas durante a fase do dever de diligência é que me assustam.

Uma vez a venda fechada, você está encurralado com todo e qualquer problema oculto. E eles podem custar muito. Imagine não conferir o sistema de drenagem da propriedade e, depois de uma tempestade, encontrar os apartamentos cheios de esgoto. Não ria, isso aconteceu com um amigo meu em Maui. E os custos para reparar todos os estragos e corrigir os problemas de drenagem foram enormes. Por isso, como você pode ver, eu sou muito cuidadoso em cumprir o dever de diligência. Você também deveria ser.

Passos de Ação do Capítulo 9

- Revise o checklist detalhado referente ao dever de diligência e faça cópias, para que você possa usar como guia quando estiver inspecionando imóveis.
- Utilize os membros da sua equipe para ajudar nas inspeções e para assegurar-se de que você cumpriu seus prazos de cumprimento do dever de diligência.
- Quando você examinar um imóvel e analisar os livros, procure e anote os trunfos e as oportunidades.
- Categorize itens de receitas e despesas assim que você os descobrir, para o desenvolvimento do seu orçamento operacional.
- Mantenha-se calmo em relação aos problemas. Lembre-se: se você encontrá-los durante o cumprimento do dever de diligência, a despesa com seus reparos não sairá do seu bolso.
- Seja muito cuidadoso e respeite as datas do contrato.

CAPÍTULO 10

Dando sentido a tudo

Agora que você dispõe de todas as informações necessárias, como proceder de forma que façam sentido? Como saber o que deve ser procurado? Você pode estar sentindo que se tornou um pesquisador, e não um investidor em imóveis. E, em algum momento, vai querer sair do estágio de análise e dizer "Mostre-me o dinheiro".

Este capítulo explica como organizar todas as informações e como colocá-las em um formato que possibilita enxergar exatamente onde estão e não estão as oportunidades de ganhar dinheiro. Porque, lembre-se, a essa altura, você ainda está com a mentalidade de cumprir o dever de diligência, ou seja, fazer todas as investigações necessárias sobre o imóvel. Então, se você achar que as oportunidades de ganhar dinheiro não estão lá, ainda há tempo para renegociar o preço de compra ou cair fora do negócio se os números simplesmente não forem compatíveis com o lucro almejado.

Na seção a seguir, eu o orientarei para a elaboração de um plano de administração e de um orçamento operacional referentes ao imóvel. Eles realmente andam juntos. O plano de administração irá definir estratégias-chave de que você precisa para cortar despesas, aumentar receitas ou ambas. O orçamento operacional liga os números àquelas estratégias e ajuda a quantificar o seu retorno sobre o investimento.

A essa altura, eu me pergunto como administrarei o imóvel que passará a ser meu. Eu prefiro dispor de algum tempo antes de fechar o negócio para desenvolver poucos cenários do tipo "e se...", para não me surpreender mais tarde com outros cenários do tipo "ah se...": "Ah, se eu tivesse gasto o tempo para desenvolver um administrador de imóveis para me ajudar a avaliar os custos de manutenção...". Ah se, ah se. O objetivo deste capítulo é garantir que você nunca dirá "Ah se".

POR QUE FAZER SOZINHO?

Este é um ponto crítico. Você vai querer chamar a sua equipe para ajudar ou somente para opinar sobre as informações compiladas? Eu, frequentemente, chamo meu contador fiscal, meu administrador de imóveis, meu corretor de seguros, meu empreiteiro e qualquer pessoa que possa ajudar-me a fazer uma avaliação completa.

Há pouco tempo, nós estávamos na fase de diligências sobre um imóvel em Tucson, Arizona. O imóvel estava precisando de muitos reparos. Não havia como estimar sozinho os custos, uma vez que estavam além dos meus conhecimentos. Então, chamei meu empreiteiro para fazer uma inspeção no local e perguntei-lhe o que deveria ser feito para arrumar o lugar. Ele me deu uma estimativa bruta de US$700.000, que repassei ao vendedor.

Infelizmente, a propriedade de Tucson havia sido seriamente negligenciada e o vendedor, que era o banco, não estava interessado em fazer os reparos necessários, tampouco aceitava a redução do preço de compra. Então, nós desistimos do negócio e partimos para outro. O importante é que, mesmo não tendo fechado o negócio, a informação havia sido revelada. Aqui, não existe tática específica, apenas a realidade. E a realidade era que eu não compraria a propriedade no meu preço inicial sabendo que estava precisando de US$700.000 em reparos.

O PLANO DO IMÓVEL — AGREGANDO VALOR

Seria ótimo se a avaliação do imóvel fosse tão objetiva quanto concluir que se precisa de US$ 700.000 para reformas e aí dizer para o vendedor: nós queremos reduzir em US$ 700.000 o seu preço de venda, é pegar ou largar. Não é tão simples assim. No imóvel de Tucson, nós encaramos os US$ 700.000 do orçamento para reformas como parte de um grande cenário. E esse grande cenário é chamado de plano do imóvel.

Você alcançará suas metas financeiras mais rapidamente se conseguir encontrar imóveis mal administrados e melhorar a situação por meio de boa administração. Como você provavelmente já sabe, boa administração representa redução de despesas e aumento de receitas. É dessa forma que você aumenta o valor do seu investimento. Espero que, durante as fases de avaliação e diligências, você encontre algumas formas diferentes de melhorar o fluxo de caixa do imóvel. Aqui, seguem algumas ideias:

- Enquanto andava pelo imóvel, você perguntou onde fica a lavanderia e acabou descobrindo que não existe nada parecido?
- Você entrou em uma das unidades e encontrou uma vista deslumbrante para as montanhas e depois examinou a lista de aluguéis e constatou que o panorama privilegiado não afetava o preço desta unidade?
- Durante a sua inspeção de propriedade, você encontrou uma quadra de tênis em condições deploráveis que poderia ser aproveitada como local ideal para a construção de mais seis unidades para locação ou para a ampliação da área de estacionamento?
- Você já pensou em investir aproximadamente US$20.000 na instalação de portões de acesso, o que aumentaria o valor percebido da propriedade e possibilitaria adicionar US$10 ou US$15 ao aluguel mensal por unidade?

Você entendeu a ideia. O imóvel, por si só, deveria estar mostrando a você o dinheiro. Se você não está vendo possibilidade de aumento de receita em quase todos os lugares, das duas uma: ou você não está observando da maneira certa ou esse potencial é de fato muito pequeno. Se prevalecer a segunda hipótese, você deve partir para outro imóvel.

Os membros de sua equipe devem participar ativamente da busca de oportunidades de aumento da receita ou de redução das despesas. Eles perceberão certas coisas que lhe passam despercebidas. Quem pensa que não há criatividade neste negócio está totalmente equivocado. Eu me divirto percorrendo as propriedades com a minha equipe e explorando as oportunidades. Lembre-se de que é assim que se ganha dinheiro: quando você ou sua equipe veem e exploram coisas de que outras pessoas não se dão conta.

A essa altura, seu trabalho é perguntar “e se?” e, como todo “e se?”, insira os números no orçamento e veja como fica o resultado final.

Aqui estão alguns cenários "e se?" que você deveria aplicar aos imóveis em análise:

- E se eu aumentar o valor do aluguel?
  - → Isto aumentará o índice de desocupação?
  - → Quanto tempo eu levo para alugar uma unidade desocupada?
  - → Posso testar o novo valor do aluguel nas unidades desocupadas antes de aumentar o dos atuais locatários?
  - → Qual é o valor de mercado do aluguel da região? Os valores das minhas locações estão alinhados com os do mercado?
- E se eu precisar atrair novos moradores?
  - → Eu tenho uma estratégia apropriada para isto?
  - → Eu tenho lista de espera caso a propriedade esteja lotada?
  - → Eu estou a par do grau de desocupação e concessões na área por meio de entendimentos com a minha equipe? Estou acompanhando com regularidade a atuação dos concorrentes?
  - → A publicidade nos jornais compensa a despesa? Ela está gerando aumento do meu número de locações?
  - → Qual é o custo de publicidade por locação?
- E se eu cobrar mais caro por determinadas unidades, instalar portões de acesso ou criar uma área destinada às crianças?
  - → Os moradores iriam pagar por isso?
  - → Que outras coisas eu poderia oferecer aos moradores de forma que estes se dispusessem a pagar mais por estas novidades?
  - → O investimento feito será pago dentro do prazo de 24 meses?
- E se eu substituir um item no lugar de repará-lo?
  - → Será maior o valor do aluguel que eu receberei? Quanto?
- E se eu terceirizar, mediante licitação, os serviços de jardinagem, manutenção e reparos?
  - → Eu economizaria algum dinheiro?
- E se eu fizer uma tomada de preços entre seguradoras na renovação do seguro do imóvel?
  - → Eu economizaria algum dinheiro?

- E se eu instalar um eficiente sistema elétrico de iluminação?
  - → Quanto vai custar?
  - → Quanto eu vou poder economizar em contas de luz?
  - → O retorno do investimento compensará o esforço?

- E se eu contratar meu próprio pessoal de manutenção para fazer a manutenção de rotina?
  - → Quantos reparos meu pessoal de manutenção consegue fazer?
  - → Com que frequência eu estou pagando por um serviço externo de rotina?
  - → O que posso fazer pessoalmente para economizar dinheiro? Administração de imóveis, jardinagem, contabilidade, pintura das unidades nos períodos de saída dos locatários, limpeza das unidades antes da entrada das próximas pessoas?
  - → Será que conheço meu imóvel suficientemente bem para detectar o surgimento de uma despesa não usual, tornando possível investigá-la?

Como você pode ver, existem muitas maneiras de aumentar as receitas e reduzir as despesas. Basta vasculhar o imóvel e procurar as oportunidades, compreendendo as necessidades dos moradores e aparecendo criativamente com soluções.

EXEMPLO DO MUNDO REAL

Meu sócio e eu recentemente compramos uma propriedade de 182 unidades localizada em Sun City, Arizona, uma comunidade de pessoas com mais de 55 anos. A construção data de 1996 e estava em excelente estado. O proprietário morava em Nova York e este era o seu único imóvel no Arizona. Após administrarmos os números, calculamos que a propriedade valia aproximadamente US$ 9 milhões, com base nos números de operações reais dos dois últimos anos. Esse imóvel nunca esteve à venda.

Nós garantimos a compra do imóvel por US$ 9 milhões e iniciamos a fase de diligências. Revisamos o orçamento operacional para operações futuras enquanto desenvolvíamos o plano do imóvel. Por meio de todas as nossas investigações, descobrimos três áreas principais prontas para um melhor gerenciamento:

1. Transporte: Os moradores atuais queriam algum tipo de transporte comunitário.
2. Localização de Apartamentos: Os idosos dessa comunidade não gostavam de subir escadas; então, os apartamentos em andares mais elevados eram frequentemente os que estavam vagos.
3. Alarme e TV a cabo: A propriedade estava vinculada a um acordo conjunto de alarme e TV a cabo.

Após realizarmos nossa pesquisa nas redondezas, descobrimos que éramos os únicos da comunidade sem uma van para transportar os moradores nos arredores, para encontros e para eventos especiais. Descobrimos que nossos concorrentes tinham serviços de transportes que atraíam idosos que não queriam dirigir e, em consequência, taxas de ocupação muito mais altas. Com base nessa constatação, orçamos em US$ 54.000 uma van para 21 pessoas, dentro das nossas projeções operacionais. Esse imóvel está conosco há tempo suficiente para sabermos que o investimento na van aumentou nossas locações, ocupação, geração de caixa e, por fim, o valor da propriedade.

A segunda ação que tomamos de resposta aos três itens em nosso plano referia-se à fixação do preço. Claramente, nossos moradores valorizavam os apartamentos de primeiro andar, mais do que os de segundo andar, então estabelecemos preços de acordo com a localização da unidade. Assim, o primeiro andar teria um preço mais elevado do que o segundo andar. Depois de um tempo, conseguimos alugar esses apartamentos de primeiro andar por US$ 75 a mais por mês do que os apartamentos do segundo andar. Nós também aumentamos o aluguel das unidades que tinham boas localizações ou vistas excelentes. Isso aumentou nossa geração de caixa em mais de US$6.000 por mês e todos os apartamentos do primeiro andar sempre estão ocupados!

Finalmente, em resposta ao ponto 3 do nosso plano, cancelamos os acordos de alarme e TV a cabo. Os acordos correntes, combinados, representavam mensalmente cerca de US$21 por unidade para todos os 182 apartamentos, estando ou não ocupados. Isso representa uma redução de US$3.822 por mês. Melhor ainda, os moradores gostaram do novo acordo, porque, pela primeira vez, eles poderiam escolher o plano de TV a cabo, ao invés de estarem atados a um plano negociado pelo proprietário, ausente há oito anos. O mesmo aconteceu com o serviço de alarme.

Eu sei o que você está pensando, "Nossa, deve ser ótimo ter todas essas receitas extras todo mês simplesmente executando um plano assim" e você está absolutamente certo. Porém, o benefício de boas operações vai ainda mais longe. Lembre-se do princípio deste livro: o valor de um imóvel de muitas unidades decorre de suas operações. Bem, o resultado de todo este aumento de receita de operações correspondeu ao que havíamos planejado: o imóvel foi recentemente avaliado em US$11.3 milhões, mais de US$2 milhões acima do que pagamos há somente um ano. Tudo isso é fruto de: planejar o seu sucesso e utilizar uma boa empresa de administração de imóveis. Esta última pode, em primeiro lugar, identificar novos caminhos para aumentar a receita operacional líquida e, em segundo lugar, ter experiência para ajudá-lo a fazer acontecer. Isto, por sua vez, aumenta o valor do imóvel e também o retorno dos investidores.

Tenho de enfatizar a grande importância de colocar o seu plano de propriedade no papel para só então trabalhar nele. Não precisa ser um documento complicado. Não há necessidade de dispor de um grande fichário. Como você pode ver, o plano de propriedade que nos rendeu milhares de dólares em receita e milhões em valorização foi um simples plano de três pontos.

O plano do imóvel é simplesmente sua meta para ele. E, como eu disse no começo deste livro, você precisa comunicar sua meta pessoal a todos. Aos administradores de imóveis, aos investidores e, talvez, acima de tudo, si mesmo.

A essa altura, nós tivemos um excelente desempenho ao descobrir todas as oportunidades e todas as despesas ocultas. Nós temos algumas ótimas ideias para incluir no nosso plano do imóvel. Mas, apesar de todo o trabalho, nós ainda temos somente palavras numa folha. Precisamos partir para os números. Então, respire fundo, deixe suas fobias de contabilidade para trás e vamos em frente.

O ORÇAMENTO OPERACIONAL

Trata-se de algo que parece muito mais complicado do que efetivamente é. No capítulo 7, ensinei-o a interpretar um prospecto de vendas e a fazer uma oferta. Os passos para o orçamento não são assim tão diferentes. Você calcula a receita do imóvel usando as informações extraídas da demonstração do resultado, da pesquisa de aluguéis, das listagens de inquilinos e aluguéis e dos relatórios financeiros sobre os fluxos de caixa. Em seguida, você analisa as despesas, com base nas despesas reais e projetadas obtidas durante a fase de diligências.

Vamos dar uma olhada primeiro na receita e rever alguns outros conceitos, com uma nova abordagem.

Receita potencial real

A fonte principal de receita na maioria dos imóveis é frequentemente o pagamento do aluguel dos moradores. Essa é a receita potencial real do imóvel. Por essa razão, você vai querer que os números referentes a aluguéis sejam extremamente precisos, com base nas informações disponíveis. O caminho mais fácil para ter esta informação é pegar o histórico de locação existente ou a lista referente ao que cada residente está pagando, colocar as unidades em ordem numérica e somar os totais de aluguel. Outro caminho é revisar fisicamente cada locação da propriedade, indicar o aluguel que cada ocupante está pagando e marcar todas as unidades vagas. É uma boa ideia fazer isso de qualquer maneira, simplesmente para se certificar de que todos os moradores relacionados estão cumprindo o acordo de locação.

Uma vez completada a sua análise, a tabela de acompanhamento deve parecer-se com isto:

Apartamento#	Tipo de Unidade	área/ m² Mensal	Aluguel	Morador
Unidade 1	1 quarto	60	US$410	Kiyosaki
Unidade 2	1 quarto	60	US$410	Hopkins
Unidade 3	1 quarto	60	US$410	Beckel
Unidade 4	1 quarto	**60**	**US$430**	**Vago**
Unidade 5	1 quarto	60	US$425	McCallister
Unidade 6	1 quarto	60	US$420	Flanagan
Unidade 7	2 quartos	70	US$490	Lechter
Unidade 8	2 quartos	70	US$470	Stullick
Total		**500**	**US$ 3.492**	

Baseado nesse histórico de locação, a receita potencial real, incluindo a unidade vaga, é de US$3.492 por mês. Utilize esse número como a receita potencial real.

Outras oportunidades de receitas

A maioria das propriedades tem outras oportunidades de receitas. Estas oportunidades poderiam figurar no seu orçamento. Os exemplos mais comuns de outros itens de receita no orçamento incluem os relacionados a seguir:

- Receita de lavanderia
- Receita de estacionamento
- Receita de água e esgoto
- Receita de atrasos
- Receita de fundos insuficientes
- Receita de TV a cabo
- Receita de internet
- Receita de telefone

Com base nos relatórios financeiros sobre os fluxos de caixa e nos registros individuais de cada morador, você poderia ter uma ideia de quais outros tipos de receita existem na propriedade. Afinal, se alguém precisa depositar este dinheiro no banco, existe um registro disso em algum lugar.

Às vezes, essa informação é difícil de ser obtida com o vendedor. Nem todo mundo é um bom contador. Se esse é o caso da propriedade que você está comprando, você precisa recriar os dados a partir dos fatos conhecidos. Por exemplo, se existe uma sala de lavanderia com lavadoras automáticas e secadoras e você não vê a receita de lavanderia nas demonstrações de receitas e despesas do vendedor, é necessário ir diretamente à empresa que fornece as máquinas e coleta as moedas para descobrir quanto você poderia esperar mensalmente.

Encontrar as outras fontes de receitas pode levar algum tempo. Kim Kiyosaki me disse recentemente que estava comprando um imóvel cujos registros indicavam que durante quatro anos a empresa de lavanderia não pagou nada ao vendedor. As lavadoras e secadoras estavam lá. As pessoas as estavam usando. Você pode apostar que estes detalhes apareceram durante a fase de diligências e uma previsão realista de receita foi incluída no orçamento operacional antes de Kim ter comprado a propriedade.

Esse é o processo de desvendar e inserir na sua tabela de acompanhamento suas oportunidades de receita. Cada oportunidade poderia ter sua própria linha. Uma vez esgotadas todas as oportunidades existentes de receita, você adiciona linhas para cada nova oportunidade que poderá encontrar depois de assumir o imóvel. Com a receita fora do caminho, você faz como nós fizemos quando estávamos avaliando o imóvel: você se concentra nas despesas.

DESPESAS

Da mesma forma como você criou uma linha nova para cada oportunidade de receita de seu imóvel, também criará uma linha nova na sua tabela de acompanhamento para cada despesa. Na seção a seguir, descreverei a maioria das despesas tipicamente encontradas em um novo imóvel.

Folha de pagamento

A folha de pagamento cobre os salários pagos a você ou aos seus funcionários. A típica equipe de gerenciamento, dependendo do tamanho do imóvel, pode incluir diversas pessoas. Em primeiro lugar, existem os supervisores locais e os corretores de locação. Depois, os zeladores, que controlam a entrada e a saída de pessoal das unidades e tomam conta das áreas comuns. Existem também as pessoas da manutenção que realizam reparos menores de construções e de terreno. Novamente, o administrador de imóveis da sua equipe pode prever as despesas com administração e manutenção e os tipos de custos envolvidos. Somados aos salários reais para você e sua equipe, você terá de incluir impostos federais e estaduais, remuneração dos trabalhadores, plano odontológico e de saúde, bem como um plano de previdência privada.

Despesas administrativas

Aí se incluem as taxas que você paga por serviços de profissionais especializados, como advogados, para ajudá-lo a estabelecer parcerias e assessorá-lo em eventuais casos de despejo. Contadores auxiliam no gerenciamento de contas a receber e contas a pagar, bem como elucidam as leis tributárias e elaboram declaração de imposto de renda. Se sua intenção é administrar o imóvel sozinho, seu contador será muito útil. Além disso, todas as coisas que você faz para gerenciar a propriedade no dia a dia basicamente são consideradas despesas administrativas, desde blocos de papel até a checagem de registros cadastrais de crédito e criminais.

Marketing e publicidade

Ao pedir ao dono do imóvel para mostrar os custos de publicidade do ano anterior, você pode ou não receber uma informação com valor. Então, faça melhor: peça ao representante da empresa de gerenciamento para dar uma estimativa das projeções de custos de publicidade da propriedade. Esse profissional conhece todos os veículos de publicidade em seu mercado, bem como seus custos, e terá uma boa noção do grau de competitividade do mercado. Você deveria saber isto também, mas a empresa de gerenciamento irá converter essas abstrações em dinheiro. Quanto maior o número de concorrentes no seu mercado, mais você precisará de publicidade para ser notado. Isso custa mais dinheiro.

Custos gerenciais

Custos gerenciais incluem os honorários que você paga a uma empresa de gerenciamento profissional ou os salários pagos a você ou a seus próprios funcionários. Novamente, quando você encontrar com o seu administrador de imóveis, peça-lhe indicações de quanto serão seus honorários de gerenciamento, que custos de manutenção você pode esperar e qual a natureza destes custos.

Custos de manutenção e de reparo

Despesas de manutenção e reparo podem variar dependendo do fluxo de entrada e saída por unidade registrado em um ano. Outros fatores que afetam os custos de manutenção e reparo são: o perfil de seus moradores, o estado da propriedade e a capacidade de resposta do gerente no atendimento das solicitações de reparo dos moradores. Se você mantiver o imóvel em ótimo estado, irá gastar menos na administração de longo prazo em coisas como: limpeza de carpetes, pintura de interiores, reparos elétricos, encanamento, reparos de utensílios, reparos de aquecedor e ar-condicionado, jardinagem, serviços de piscina e suprimentos e controle de pragas.

Seguro

É um item de despesa de importância crítica. Por quê? Primeiro, seguro é caro e, segundo, porque frequentemente o banco exige que você faça o seguro antes de assinar o empréstimo. Esse número é fácil de conseguir. Simplesmente entre em contato com alguns corretores de seguro e obtenha algumas cotações. O tipo de seguro de que você precisa inclui sinistro de propriedade e obrigações gerais. O prêmio ou preço do seguro depende do nível das franquias, a faixa mínima de prejuízo que não é coberta pela seguradora. Nós variamos nossas deduções dependendo da propriedade. Como regra, você precisa de um seguro para as coisas grandes que podem dar errado. Você não vai querer arcar com prêmios elevados por todas as pequenas coisas que poderia pagar com seus próprios recursos. Fale com o seu corretor de seguros a respeito da cobertura ideal para o seu imóvel e sobre os riscos de contratar franquias elevadas.

Despesas gerais

Identifique todas as despesas gerais do prédio. Aí se incluem gás, luz, lixo, esgoto, água, TV a cabo e telefonia. Certifique-se de que as despesas gerais sejam medidas individualmente, o que significa que cada unidade de locação tem sua própria medição, ou se as despesas gerais são medidas em conjunto. Se elas forem cobradas em conjunto, isto significa que haverá uma medição para todo o prédio. Medição individual é a melhor opção, pois os moradores pagam suas próprias contas. Prédios de medição individual apresentam despesas mais baixas para você, porque cada morador paga sua própria despesa. Em prédios de despesas coletivas, não há incentivo para os locatários manterem os custos de despesas gerais baixos.

Por isso, eu me afasto de prédios que possuem despesas gerais coletivas. Peça ao proprietário um relatório financeiro da propriedade: esses números devem estar lá, mas, novamente, eu sempre os verifico. Para verificar os números, basta o endereço do prédio, e a empresa de despesas gerais pode fornecer as contas dos anos anteriores. Se eles não quiserem revelar essa informação, chame o proprietário e peça a ele para entrar em contato com a empresa de serviços gerais para autorizar a liberação. Verifique todas estas contas. Às vezes, existem diferenças sazonais, especialmente para calefação e ar-condicionado. Não vamos ter surpresas!

Reparos principais

Estes são os principais melhoramentos necessários para manter ou colocar a propriedade nos padrões. Muitas vezes, propriedades carentes de algum trabalho representam as melhores oportunidades de compra, mas você precisa fazer uma avaliação realista para saber quanto será necessário para colocar o local em boas condições. Eu estou me referindo a reparos de telhados, áreas de estacionamentos, calçadas, pistas de automóveis, iluminação, compras de carpetes, utensílios, aquecedores, condicionadores de ar etc. Estas são todas as coisas que você deveria olhar quando da compra de uma casa — nesse caso, você está avaliando em uma escala muito maior.

Quando terminar de inserir todas as despesas no seu orçamento operacional, totalize todas as suas receitas e despesas. Subtraia as despesas das receitas e você terá uma boa visão de seu fluxo de caixa e de sua receita operacional líquida. Se for muito grande, retorne e certifique-se de que seus cálculos estejam corretos. Se for negativo, não fique desencorajado, nesta situação é onde a contabilidade criativa aparece. Não o tipo que conduz à prisão, por crimes de colarinho-branco, mas aquele tipo que faz reavaliar o seu modelo de negócios.

Uma vez esgotado o orçamento, você deve compará-lo com as despesas e receitas operacionais reais do imóvel e procurar qualquer erro ou omissão evidente. Se você tiver tentado de tudo para conseguir um resultado positivo ou um número que satisfaça o negócio, e ainda assim, não esteja batendo, deve consultar sua equipe. Se você tiver esgotado as ideias deles ou se as ideias apresentadas estiverem muito distantes da realidade, você deverá reduzir ainda mais o preço de oferta ou simplesmente desistir do negócio, caso não consiga gerar um nível de caixa positivo e satisfatório. A última coisa a fazer é seguir em frente e rezar por um milagre. Não é assim que milagres acontecem. A sorte surge para aqueles que fazem sua parte no trabalho e se preparam para identificar oportunidades.

MOMENTO DE CONFRONTO

Isto não precisa ser difícil, mas você terá de revelar ao vendedor seus achados na propriedade. E você precisa fazer isto antes do final da fase de diligências, ou a propriedade será sua, com todos os defeitos e imperfeições.

Está tudo na apresentação. Você pode enterrar seus achados goela abaixo do vendedor, plantar seus pés na areia e dizer: "É pegar ou largar". Ou pode escolher uma abordagem prática que não ataque nem a propriedade nem o ego do vendedor. É uma discussão a respeito dos números, não a respeito da integridade e da honestidade do vendedor ou do comprador. É uma conversa direta a respeito de números, onde tudo é colocado na mesa e não existem motivos implícitos.

Realmente, existem situações em que o vendedor tenta descaradamente omitir a realidade. Porém, na maioria dos casos, como, por exemplo, a minha experiência com o nosso projeto de Portland, o vendedor não tinha ideia de quanto era necessário para reparos e manutenção. Você é quem está trazendo a notícia, então é de seu interesse fazer tudo profissionalmente, com transparência e documentação.

O processo de plano da propriedade e seu profissionalismo podem ajudar a evitar um fracasso e, melhor ainda, ajudam a gerar uma negociação da propriedade interessante para ambas as partes. Afinal, você não deve almejar uma situação em que seja o único beneficiado. Você nunca deve fazer inimigos neste negócio. Seu vendedor de hoje pode ser seu comprador de amanhã ou ainda conduzi-lo a seu próximo negócio. Eu tive inúmeras experiências em que o vendedor em um negócio se tornou o investidor em outro negócio ou o vendedor de outra construção. Eu nunca perco de vista o fato de que isto é um negócio que envolve relacionamento.

Segue uma lista de achados que já foram assunto de confrontos com vendedores no passado. Você pode estar na mesma situação:

- Unidades vagas listadas como ocupadas no histórico de locação.
- Notificações para desocupação ou desocupações futuras não relacionadas.

- Perfil de moradores com risco elevado de crédito, o que poderia criar desocupação futura.
- Utensílios, carpetes e outras coisas faltando — alguém tinha de pagar por isto.
- Despesas elevadas de manutenção necessária para deixar as unidades prontas para locação.
- Controle de pragas, incluindo cupim, escorpiões, baratas e pombos.
- Contratos de serviços não canceláveis que agregam despesa para o seu orçamento operacional e afetam o seu fluxo de caixa.
- Custos de despesas gerais mais elevados do que no ano anterior.
- Perda do seguro anterior na propriedade, afetando o custo do seguro futuro.
- Impostos prediais e territoriais mais elevados do que os revelados.
- Autos de infração municipais.
- Violações de códigos de incêndio.
- Problemas ambientais.

SEGUINDO ADIANTE

O orçamento operacional é o último grande teste da viabilidade da propriedade.

Se os cálculos do orçamento operacional parecerem bons para o primeiro ano e você projetar a geração de caixa suficiente para alcançar sua meta, isso significa que está pronto para seguir adiante e adquirir o imóvel. Lembre-se: você provavelmente ajustará o preço da oferta para contabilizar qualquer reparo, manutenção, melhoramentos ou outros custos descobertos durante a aplicação de dívida. Apresente seus números e suas razões principais para o vendedor e finalize o negócio.

Foi um longo período percorrido, desde a avaliação inicial do mercado, passando pela procura, seleção e avaliação da propriedade, até o desenvolvimento de um orçamento operacional. Você, em breve, será o orgulhoso dono de um imóvel para locação como investimento. Agora, a emoção de ser proprietário irá começar. É hora de executar seu plano para melhorar a propriedade e maximizar a geração de caixa. Esse é o assunto do nosso próximo capítulo.

Passos de Ações do Capítulo 10

- Visite o site www.mccompanies.com para baixar a relação das contas e as amostras de orçamento.
- Liste todas as suas fontes de projeção de despesas e receitas para o seu orçamento.
- Insira a fonte da projeção dos números para cada despesa e para cada receita.
- Totalize a conta de acompanhamento e realize cálculos similares em diversos cenários "e se...?"
  → Aumento/ redução de despesa;
  → Aumento/ redução de receita.
- Determine os níveis de despesa e de receita que maximizam o seu fluxo de caixa.
- Faça disso a base para o seu plano de propriedade.

CAPÍTULO 11

O imóvel é seu... e agora?

Parabéns! Você é o orgulhoso dono de um imóvel, como investimento no mercado imobiliário. Depois da comemoração e do telefonema para a sua esposa e para os seus pais para contar-lhes sobre o fechamento do negócio, você senta, relaxa, e, em aproximadamente cinco minutos, pensa: “E agora?”. A não ser que você tenha um plano, e obviamente você o tem.

Você deve estar assustado em descobrir que eu nunca comprei um único imóvel sem passar pelo processo descrito no capítulo anterior. Para mim, nunca pareceu valer a pena o risco de confiar somente em instintos. E eu certamente faço tudo ao meu alcance para não me envolver emocionalmente com qualquer imóvel. De fato, eu vou a todo negócio imobiliário com a presunção de que não vou fechar a venda. Talvez pareça pessimista, mas qualquer um que me conhece sabe que eu sou otimista sempre. Então, por que a negatividade?

Eu não vejo isso como negatividade. Eu entendo minha atitude como realismo. Ninguém gosta de trabalhar mais duramente do que o necessário, inclusive eu. E eu sei, por experiência própria e por meio de histórias de centenas de pessoas que partilharam seus esforços comigo, que não existe conserto, reparo ou estratégia de publicidade que possam melhorar um imóvel cujo preço tenha sido excessivo. Mesmo melhorando as práticas de gerenciamento, não existe truque.

Eu espero que você compreenda que, não importa quantos negócios eu faça, continuo seguindo o mesmo processo de avaliação, o mesmo processo de proposta de venda e de recibo de sinal, o mesmo processo de diligências e, possivelmente, o mais importante, o mesmo processo de planejamento do imóvel. Eu não pego atalhos. E até agora todos os meus imóveis apresentaram bom desempenho. Algumas pessoas podem olhar o que eu faço e dizer: "O cara deve adorar correr riscos". Mas realmente eu sinto que o que faço não é arriscado. Fazer a sua cota de planejamento ajuda a minimizar os riscos. Isto tem me recompensado.

A essa altura, você sabe que não dou muita oportunidade ao acaso e nunca vou comprar um prédio de apartamentos sem um plano consistente de como irei aumentar minhas receitas e reduzir minhas despesas para maximizar minha geração de caixa. Todo o trabalho que você já fez até deveria fornecer ideias consistentes para administrar seu prédio. Isso é ótimo. Agora é a hora de colocar essas ideias em ação. Agora é pra valer. Repito: agora é pra valer.

SIGA O SEU PLANO

Siga o seu plano. Essas são as palavras que devem ser seu mantra para este capítulo, porque, nas páginas seguintes, eu o conduzirei pelos caminhos da administração de imóveis. Antes que você pense que iremos falar a respeito de carpetes e árvores decorativas, é bom esclarecer que administração de imóveis significa seguir o seu plano do imóvel e manter-se dentro do seu orçamento operacional. O objetivo da administração de imóveis é maximizar a geração de caixa.

A essa altura, você já deve ter decidido administrar o imóvel por si próprio ou contratar uma empresa especializada em administração de imóveis. Eu conheço muitas pessoas em ambas as situações, e todas elas dizem a mesma coisa. É simplesmente uma questão de escolher como você quer utilizar seu tempo. Conheço um investidor em imóveis incrivelmente bem-sucedido. Ele tinha casas de veraneio em alguns dos lugares mais bonitos do mundo. Possuía apartamentos e nós os gerenciávamos para ele, mas ele pintava todas as suas propriedades. Obviamente, isso lhe poupava muito dinheiro, mas era mais do que isso. Eu penso que fazer parte do gerenciamento era o que ele realmente apreciava.

DESCRIÇÃO DO CARGO DE ADMINISTRADOR DE IMÓVEIS

Qualquer que seja a sua decisão — contratar uma empresa de administração de imóveis ou administrar o imóvel por conta própria —, você deve se certificar de que conhece o tipo de trabalho recém-assumido ou o que espera da empresa de administração de imóveis. Então, considere este capítulo um guia do que procurar em uma administradora de imóveis ou o que esperar de si mesmo como seu próprio administrador de imóveis.

O segredo da boa administração de imóveis e de um bom administrador de imóveis está nos sistemas. Sistemas para lidar com publicidade e marketing, arrendamento, questões relacionadas a empregados, contratação externa de vendedores e licitação de serviços, relatórios, emergências, manutenção, recolhimento de aluguéis, contabilidade, orçamentos operacionais, procedimentos legais e tudo o mais que for necessário para a administração do imóvel

O administrador de imóveis deve adotar e operar todos esses sistemas.

A tarefa de um gestor de propriedade divide-se em diversas categorias:

Solucionando problemas diariamente

A principal função de um administrador de imóveis é, em primeiro lugar, implantar seu plano de imóveis e, em segundo, solucionar problemas. Isto é o que eu faço todo dia com minha empresa de administração de imóveis. Meus funcionários e eu lidamos com milhares de unidades e, apesar de o nome do nosso cargo ser "administrador de imóveis", nós somos de fato solucionadores de problemas. Isto porque a realidade do negócio é que você está efetivamente solucionando problemas muito mais do que gerenciando, especialmente no princípio, quando acaba de assumir a propriedade.

Lidando com questões de funcionários

Administradores de imóveis sempre lidam com todas as questões de funcionários. Se você precisa de um agente de locação na propriedade, a empresa de administração de imóveis terá profissionais treinados e qualificados para lidar com o trabalho. Independentemente de quem esteja à frente da administração de imóveis — ou você ou a empresa contratada —, um dos dois terá de lidar com esta atribuição. Isso significa que você será responsável por treinar a pessoa contratada e por fornecer-lhe todos os conhecimentos, habilidades e materiais necessários para o exercício de suas atribuições. Isso pode incluir treinamento em serviço de atendimento a clientes, vendas, leis específicas do segmento etc.

Você também precisa de uma pessoa de manutenção ou para lidar com pequenas atribuições. Novamente, isto pode ser feito por você ou por alguém que você contratar. Caso você contrate uma empresa de administração de imóveis, ela provavelmente fará esse tipo de serviço. Se você fizer a manutenção da propriedade por si próprio, procure uma pessoa que tenha tempo suficiente e que esteja disponível para você a qualquer hora. A última coisa que você quer é um morador com um cano d'água vazando ou um banheiro entupido esperando pelo seu serviço. É prejudicial para o conceito do imóvel e para a sua reputação. Um morador irritado irá embora e não somente deixará para trás um problema de desocupação — que não gera receita —, como também será dispendioso recolocar a unidade em condições de locação.

Alugando a propriedade

É trabalho do gestor fazer a publicidade necessária para manter a propriedade 100% ocupada ou o mais próximo possível desse índice. Isto envolve o conhecimento dos resultados de cada veículo de publicidade, bem como o desenvolvimento de promoções e mensagens promocionais que tragam resultado, ou seja, anúncios, sinais, acordos com serviços de busca de apartamentos locais ou o estabelecimento de programas de direcionamento de moradores. Inúmeras são as táticas para manter o fluxo de inquilinos potenciais. As administradoras de imóveis sabem o que funciona e o que não funciona. Você pode também lidar com essa parte do trabalho sozinho.

Mas esteja atento: conseguir inquilinos não é seu único objetivo. Você quer atrair os inquilinos adequados. Então, como regra, eu nunca alugo um apartamento para alguém que não tenha passado antes pela pesquisa de antecedentes criminais e creditícios. Em todo apartamento ou condomínio que gerenciamos, todos os candidatos à locação passam por essa etapa. Não somos obrigados por lei a alugar imóveis para criminosos. E eu não sinto qualquer obrigação moral de oferecer uma locação a pessoas que dizem estar recomeçando uma vida "limpa". O que eu sinto é uma responsabilidade moral de oferecer o mais seguro ambiente possível para nossos moradores.

Eu acredito ainda mais em conferências de registros criminais e creditícios após a tragédia de 11 de setembro. Quando a identidade dos terroristas responsáveis pelos ataques e a daqueles que tiveram participação nos assassinatos foram reveladas, diversos noticiários relataram onde eles viviam e entrevistaram os vizinhos. Na maioria das vezes, moravam em apartamentos alugados e muitos tinham identidades falsas. Alguns ainda tinham registros de crimes no passado. Essas oportunidades perdidas resultaram em uma tragédia global. Eu confiro os passados criminais e creditícios de todos e comunico na mesma hora. Se não gostarem, eles vão para algum outro lugar, e este é exatamente o objetivo.

Aumentando o fluxo de caixa

É responsabilidade do administrador de imóveis aumentar a geração de caixa. Bons administradores de imóveis compreendem os parâmetros do mundo real, dentro dos quais eles devem trabalhar para alcançar sua meta. Porém, se você está gerenciando a propriedade por si próprio, vai querer estar atento sobre a forma como o mercado opera nas imediações de sua área. Pare e leia os jornais locais, passe pela concorrência e entre em contato com as propriedades ao redor: só assim poderá conhecer seu mercado antes de aumentar seus aluguéis. Simplesmente ligue e pergunte: qual a taxa de locação, a medida, o valor necessário do depósito e o que está incluído no aluguel.

Manutenção

É trabalho do administrador de imóveis manter a jardinagem, pintar os apartamentos e prédios e ter certeza de que todos os utensílios das unidades de locação estejam em perfeitas condições, enfim fazer tudo, incluindo trocar as lâmpadas nas áreas comuns. Isto é toda a rotina que faz com que um prédio de apartamentos seja um ótimo lugar para viver, se for bem cuidado, ou uma lixeira, se for negligenciado. Tudo é uma questão de detalhes quando se trata de manutenção.

Você ou seu administrador de imóveis irão receber, gerenciar e completar todas as ordens de trabalho para os moradores atuais. Você deve limpar os carpetes, gerenciar o caminhão de lixo e coordenar os empreiteiros na execução dos reparos. Além disso, se você é seu próprio gestor de propriedades, precisa negociar com seus próprios fornecedores: encanadores, eletricistas, empresas de limpeza de carpetes, jardineiros, pintores, carpinteiros etc. Empresas de gerenciamento de propriedade frequentemente têm acordos com empresas com as quais seja possível contar, operando com uma taxa favorável, baseada no volume de trabalho contratado.

Cobrança do aluguel

Cobrar o aluguel pode ser uma coisa fácil ou uma coisa muito desafiadora, dependendo dos precedentes que você tenha estabelecido com seus moradores. Nos prédios que minha empresa gerencia, seguimos à risca as determinações da lei e não abrimos exceções para moradores que não pagam seus aluguéis pontualmente. Neste negócio, você precisa ser duro. Você ouvirá todo tipo de história e, embora eu lamente por algumas pessoas, prezo muito aquelas que pagam os seus aluguéis pontualmente. Uma empresa de administração de imóveis irá operar justamente como eu faço, sem indefinição quando se trata de cobrança de aluguel. Quando você está gerenciando este aspecto sozinho, é fácil se sensibilizar e abrir uma exceção. Não faça isto. Nossa política é nunca permitir pagamentos parciais, nós nunca abrimos mão de quaisquer taxas de atraso e não aceitamos cheques de pessoas que pagaram atrasado mais de uma vez. Assim, só aceitamos ordens de pagamento em dinheiro. Nunca, nunca deixe de cobrar taxas de atraso ou taxas por cheques sem fundos. Em alguns casos, estes são os únicos incentivos que seus moradores têm para pagar pontualmente. Retire isto deles e terá problemas.

Compreenda que a cada exceção aberta, você estabelece um precedente. Se, por qualquer razão, você precisar despejar um morador por falta de pagamento de aluguel, seus gestos anteriores de bondade irão prejudicar sua situação. Estabeleça a sua política de cobrança em conformidade com suas leis estaduais e cumpra-as de qualquer maneira.

Pagando as contas

Quando você é o dono do imóvel para locação, pode sentir-se no ramo da contabilidade. Existem muitas obrigações contábeis associadas ao gerenciamento de propriedades. Gestores de propriedade são responsáveis não somente pela coleta e pelo depósito do aluguel na conta bancária, mas também pelo pagamento de todas as contas pontualmente. Cada item de despesa no orçamento operacional terá contas anexadas. Os gestores de propriedade que você contratar devem cuidar de todas as contas mensais, bem como de outras contas mais esporádicas. Ao final de cada mês, você ou seu gestor de propriedade devem completar uma análise das receitas e despesas e compará-las com o orçamento. Faça isto mensalmente e você estará no controle de seus negócios.

Administrando o orçamento

Juntamente com a cobrança do aluguel e o pagamento das contas, é trabalho do administrador de imóveis gerenciar o orçamento operacional. Isso significa que todas as despesas e receitas dos aluguéis precisam ser fixadas e comparadas com o orçamento operacional. Se ficarem abaixo do orçamento, ótimo. Se ficarem acima, você precisa saber o porquê.

Existem muitos programas de informática para a administração de imóveis que podem ajudá-lo a gerenciar o orçamento operacional e a maioria deles trabalha da seguinte forma: quando você insere as contas para pagamento no sistema, é feita uma codificação na sua tabela de contas a pagar. Cada conta tem uma alocação mensal e, quando a conta é lançada no programa, simplesmente é deduzida da fatura total do orçamento, deixando você com o saldo. Funciona, na verdade, como se cada conta no orçamento total tivesse seu próprio livro de registro. Dessa forma, você pode gerenciar cada conta individual, em vez de tomar conhecimento apenas do resultado final.

A vida não é perfeita e há momentos em que você precisa gastar mais em uma conta ou precisa reconhecer que não alocou o suficiente em seu orçamento para operar com eficiência. Em ambos os casos, muitos programas ajudam a analisar quanto você está acima ou abaixo do orçamento para cada conta. Isto é chamado de análise de variações e eu a faço mensalmente. Relatórios de análise de variações dão uma noção de como ajustar seus gastos para que o resultado final esteja dentro do orçamento. É também uma boa ferramenta de aprendizagem. Quanto mais vezes você praticar, mais precisos ficarão seus orçamentos.

Despejos

Despejos fazem parte necessariamente desse negócio, mas a boa notícia é que você, como dono do imóvel, não precisa ficar traumatizado por isso. Despejos podem acontecer por inúmeras razões, incluindo falta de pagamento de aluguel. Porém, minha empresa tem despejado pessoas por todos os tipos de razões, respeitando os nossos direitos de assim agir. No entanto, o único momento em que realmente me sinto bem quando despejo alguém é quando envolve traficante de drogas. Mesmo sendo difícil, nunca "evito o inevitável" quando se trata de despejar pessoas.

Novamente, uma empresa de administração de imóveis irá lidar com despejos de acordo com a lei. Antes de você fazer por si próprio, certifique-se de que conhece seus direitos e os dos moradores. Se você mesmo estiver administrando o imóvel, procure o seu advogado.

Serviço de atendimento ao consumidor

Uma grande parte da administração de imóveis envolve estar disponível para seus moradores. Os moradores precisam saber que podem recorrer ao administrador de imóveis a qualquer hora do dia, em caso de problemas ou emergências, sendo essas solicitações atendidas em tempo razoável. Isso não é pedir muito; afinal, se eles quisessem lidar com seus próprios problemas de manutenção, eles seriam os donos de suas casas. Essa prestação de serviços aos clientes 24 horas por dia faz parte do contrato de administração de imóveis. E é algo que fará parte de suas atribuições se você mesmo administrar o imóvel.

Em nossos imóveis, temos uma política de manutenção de 24 horas para solicitações costumeiras e uma resposta imediata em casos de emergências. O que constitui uma emergência? Para nós, fogo, inundação ou sangue. Existem certamente exceções, mas nós não disponibilizamos serviços após o horário estabelecido para moradores trancados pelo lado de fora do apartamento porque perderam as chaves (e eles ligam). Nós temos um sistema eficiente de atendimento 24 horas, 7 dias na semana, preparado para todos os nossos condomínios. Em emergências como assassinatos, nós damos uma resposta rápida para que possamos cooperar com as autoridades e com as famílias das vítimas.

Estas são somente algumas das responsabilidades de trabalho que vêm com o título de administrador de imóveis. É um grande trabalho que ocupa 365 dias por ano. Se, após essa leitura, você estiver pensando: "investimento em imóveis não é para mim, eu não quero trabalhar tão duro", não desista. Talvez investimento em imóveis *seja* para você; administração de imóveis é que não é o seu forte. Eu percebi que a primeira inclinação é querer economizar para maximizar a geração de caixa, mas, se você não quer administrar imóveis, não é o lugar para cortar despesas. Se o imóvel não for bem gerenciado, não somente será difícil encontrar inquilinos, mas também reajustar seus aluguéis para o valor de mercado, o que impossibilita a valorização do imóvel. Afinal, o valor do imóvel para aluguel decorre de sua operação. Finalmente, a contratação de uma empresa de administração de imóveis libera seu tempo, permitindo que você olhe e avalie seu próximo investimento em propriedade. Como já visto, o caminho para o enriquecimento é ser dono da propriedade, e não gerenciar a propriedade.

A má administração é a principal causa do mau desempenho do imóvel, em termos de geração de caixa e de valorização para revenda.

CONTRATAÇÃO DA EMPRESA DE ADMINISTRAÇÃO DE IMÓVEIS

Se, ao ler este capítulo, você se sente inclinado a contratar uma empresa para a administração profissional do seu imóvel, então você precisa saber o que procurar, para que possa contratar a melhor. Nem todas as empresas de administração de imóveis são iguais.

Eu preparei uma lista de perguntas que faço quando estou contratando uma administradora de imóveis. Acredite ou não, nós não gerenciamos todas as nossas propriedades. Diversas vezes, se nós não tivermos presença no mercado, não faz sentido para a nossa empresa de gerenciamento fazer o trabalho necessário para somente um imóvel. Nesse caso, contratamos gente de fora. Mas, como você pode bem imaginar, nós somos compradores espertos. Você também será com a seguinte lista:

- Taxa de administração: Nos Estados Unidos, situa-se entre 8% e 12% do aluguel bruto para imóveis unifamiliares, e de 4% a 8%, dependendo do tamanho, para prédios com várias unidades residenciais. Seja cético em qualquer circunstância — com honorários mais elevados ou mais baixos.
- Tempo de mercado: Eu procuro empresas de administração de imóveis que estejam no negócio há no mínimo três anos.
- Programas de Contabilidade e Capacitações: Eu prefiro trabalhar com uma empresa que tenha diversas pessoas em seu departamento de contabilidade. Uma única pessoa é um mau sinal. Eu quero saber como o relatório de contabilidade deles é estruturado, em que período do mês eles o produzem, como entregam estes relatórios e como é o relacionamento deles com os bancos. Eu, obviamente, confiro as referências bancárias.
- Referências: Além da verificação das referências bancárias, peço uma lista de todos os imóveis que a empresa está gerenciando. Eu, pessoalmente, ligo e visito ao menos cinco desses imóveis. E não procuro referências gerais, porque ninguém disponibiliza nomes e telefones de pessoas que não dariam ótimas referências.
- Políticas e Procedimentos: Eu peço para ver o manual de políticas e procedimentos para entender o funcionamento da organização. Essa fonte também revela a cultura da empresa, o estilo gerencial e o nível de profissionalismo dos funcionários.
- Associações Profissionais: A empresa de administração de imóveis deve ser membro de associações profissionais e contar com um ou mais profissionais credenciados.
- Programas de Treinamento: A administração de imóveis requer ampla gama de habilidades, como vendas, serviços aos clientes, finanças e noções de direito imobiliário. Eu procuro empresas que investem em seus empregados e oferecem treinamento nessas áreas.
- Despejos e antecedentes criminais e creditícios: Eu verifico os nomes das empresas que a administradora de imóveis utiliza para despejos e verificações de antecedentes criminais e creditícios. Não contrato uma

administradora de imóveis que preste esses serviços com recursos próprios ou terceirizados.

- Negociações com Fornecedores: Empresas de administração de imóveis precisam me dizer como negociaram com os fornecedores para poupar meu dinheiro em manutenção, suprimentos, serviços, publicidade etc. Ao contratar uma grande administradora de imóveis, você lucra com as economias de escala.
- Empregados: Quero saber quem é a pessoa que está administrando meu prédio. Espero que a empresa verifique a idoneidade de todos os funcionários. Você precisa ser cuidadoso ao contratar uma administradora de imóveis.

QUANDO DEMITIR O GESTOR DE PROPRIEDADE

Esteja consciente, pois você receberá por aquilo que pagou. E a forma como você trata sua empresa de gerenciamento de propriedade irá afetar diretamente a maneira como irão tratar você. O relacionamento deve ser de respeito mútuo e de responsabilidades nítidas. Também deve haver confiança mútua. Trata-se de uma parceria e entre nela como se ambas as partes fossem uma só. Se a sua mentalidade for a de "Nós contra eles", perderá no longo prazo.

Um dia, alguém muito sábio me ensinou: "Administração de imóveis é um trabalho ingrato". Perguntei o que queria dizer com isso, porque a pessoa tinha muito mais experiência do que eu como administrador e como investidor no mercado imobiliário. A resposta foi a seguinte:

Existem basicamente três maneiras de um gestor de propriedades ser demitido:

A primeira é quando a propriedade em si não tem uma boa performance, especialmente se seu desempenho for pior do que o investidor previa. Uma mudança pode ser necessária para melhorar as operações da propriedade.

A segunda é se o proprietário não melhorar as operações anualmente ou as operações permanecerem as mesmas. Nenhum melhoramento? Bem, não foi por isso que compramos a propriedade? Demita-os.

A terceira é se a propriedade realmente tem uma performance muito além do esperado pelo investidor. A razão da demissão é que o gerenciamento parece fácil e a presença de um gestor de propriedade não se faz necessária, uma vez que a propriedade está indo tão bem. O investidor pode fazer o trabalho e economizar os honorários.

O que esta divertida história tem a comunicar é totalmente verdadeiro: gestores de propriedade estão à mercê dos donos das propriedades. E como dono de propriedade, você pode sentir-se muito poderoso. Mas não abuse deste poder. Em primeiro lugar, escolha sabiamente, trate cada um com respeito e faça do seu gestor de propriedade um parceiro. Eles recompensarão você com um alto nível de serviço e com os resultados que você está procurando. Transformar sua propriedade em uma porta giratória de gestores não é somente ineficiente, como também irá minar seu sucesso. Procure os relacionamentos de longo prazo, que constroem sinergia e lucros.

Mas, como dono de imóvel, você tem de reconhecer quando uma empresa de gerenciamento deve ser demitida. Estas são as coisas que não tolero quando se trata de administração de imóveis:

- Uma empresa que não incorpora a mentalidade de parceria e não comunica para o dono do imóvel coisas como condições de mercado, que afetam a oferta e a demanda.
- Uma empresa que negligencia as condições físicas do imóvel. Se o administrador do imóvel enxergar lixo no chão, não pode ignorar.
- Uma empresa que tem alto volume de entrada e saída de empregados em qualquer área; isso dificulta a construção do relacionamento.
- Uma empresa que tem inconsistências ou relatórios incompletos.

Essas são razões válidas para demitir sua empresa de administração de imóveis. Eu gosto de estabelecer o nível de expectativa desde o princípio, a partir do acordo de gerenciamento. Então, discuto tudo com a empresa.

Talvez eu seja um pouco tendencioso em relação aos administradores de imóveis e ao alto nível de serviços a ser exigido deles. Porém, consigo compreender os proprietários e investidores que acreditam que gerenciamento de propriedade é fácil e que qualquer um pode fazer. Compreendo porque estes são os donos em que foco as minhas aquisições de propriedades. Invariavelmente, propriedades gerenciadas por proprietários são cheias de potencial de geração de receitas porque o dono simplesmente não tem experiência ou interesse suficiente para gerenciar a propriedade adequadamente. Eles são os alvos principais de aquisição.

O EFEITO DOMINÓ

A administração de imóveis pode ser vista como um conjunto de pequenas decisões. Faça as escolhas certas durante todo o caminho e a viagem será tranquila. Porém, faça as escolhas erradas — pegue atalhos, prejudique relacionamentos, irrite moradores ou tire vantagem dos prestadores de serviços — e seus desafios serão maiores. Você pode escolher entre o caminho certo ou o caminho errado: a escolha é sua. Mas, se você optar pelo segundo, uma única má escolha pode ter efeitos de longo alcance. É como o efeito dominó e aqui seguem alguns exemplos:

Alugando para a pessoa errada

Recentemente, um novo morador se mudou para um dos imóveis que gerenciamos. Ele havia sido acusado de crimes sexuais; porém, mentiu na sua declaração, respondendo "não" à questão que tratava de condenações criminais.

Aparentemente, essa pessoa se mudou do Texas para o Arizona e infringiu a lei não comunicando ao estado após ter se mudado para o nosso imóvel. Nós não fomos avisados dessa situação pela empresa responsável pelo levantamento da ficha criminal e creditícia.

Você pode imaginar meu choque quando recebi a carta do departamento local de polícia para a vizinhança comunicando que um criminoso estava morando na propriedade. E você pode imaginar a raiva dos moradores do prédio quando as autoridades locais os notificaram, trazendo a imprensa para cobrir a história no local.

As centenas de moradores e suas respectivas famílias que viviam no imóvel ficaram enfurecidas. Obviamente, tínhamos de agir com rapidez. Nós recebemos dezenas de ligações de nossos moradores atuais dizendo estarem preocupados com suas crianças e com a própria segurança. Os donos da propriedade também tinham coisas a dizer. Para resolver o problema, entrei imediatamente em contato com o morador e nós discutimos a situação. Eu concordei em arcar com as despesas de mudança para esta pessoa, que queria sair dali. O gerente, pessoalmente, supervisionou a mudança e a situação foi resolvida.

Esse tipo de ação ligeira torna uma má situação em algo que verdadeiramente nos fortalece. Nós demonstramos que, quando os problemas aparecem, não importa a sua frequência, nós os tratamos com seriedade e tentamos ser eficazes em nossas reações. Nós não fizemos um grande alarde a respeito da situação; simplesmente comunicamos às pessoas que aquele indivíduo tinha se mudado.

Se nós não tivéssemos tomado este tipo de atitude, certamente poderíamos ter sofrido uma evasão em massa de bons moradores.

Descuidando dos seus moradores atuais

Não existe mistério no argumento que defende que, se você cuidar dos seus moradores, eles tenderão a renovar seus contratos de locação. Essa é a natureza humana. Todos nós tivemos más experiências em um hotel ou em uma loja de departamento e juramos nunca retornar. Isso não é diferente em gerenciamento de propriedade.

Cuidar dos seus moradores significa atender às suas chamadas rapidamente. Significa consertar o que precisa ser consertado. Envolve uma equipe profissional que esteja sempre pronta a ajudar. Significa colocar-se no lugar do morador. Aqui o efeito dominó é que moradores insatisfeitos criam desocupações, e desocupações criam problemas de fluxo de caixa. Moradores conversam entre si, e todos gostam de reclamar. Cuidar de seus moradores faz com que as áreas comuns da propriedade representem retiros agradáveis, e não pontos de encontro para moradores insatisfeitos. Estacionamentos permanecem estacionamentos, e não áreas comuns para fazer reclamações. Seja proativo e crie um sistema que ofereça um bom atendimento a seus moradores. Só assim irá mantê-los.

Sem orçamento para o inesperado

Alguma vez você já ouviu a frase "essas coisas acontecem"? Bem, eu sou prova viva de que, quando acontecem, arrumar a bagunça demora mais e custa mais caro do que se imagina. Esteja preparado para enfrentar problemas que surgirão quando você se tornar o dono da propriedade. Eu estou falando de coisas como caixas d' água estouradas, enchentes que resultam em novos pisos e assoalhos, pequenos incêndios que danificam bancadas e utensílios, compressores que quebram no dia mais quente do ano, janelas quebradas, entradas de garagem danificadas por empresas de mudança, danos de vendavais com custos de reparos menores do que a franquia do seguro. Entendeu o problema?

Mantenha um fundo de reserva adequado às necessidades do seu imóvel para quando o inesperado acontecer. Tomara que você nunca precise usar. É difícil estabelecer diretrizes de quanto deve ser reservado porque cada propriedade está em diferentes condições quando da aquisição. O que eu faço é olhar para essas condições, marcar coisas como telhados antigos e utensílios que estão em vias de quebrar. Então, eu reservo um fundo adicional que me auxilia quando o inesperado ocorre.

Gerenciamento de propriedade é um trabalho de 24 horas por dia, 365 dias por ano. Você precisa estar disponível e pronto a responder às necessidades de seus moradores. Você também deve a si mesmo o compromisso com a valorização de seu investimento e com a geração de caixa. Esse é o aspecto de serviço ao cliente do negócio, e é totalmente fundamental para o seu sucesso.

As pessoas são seres sociais. Elas conversam. Rumores são gerados a respeito de lugares bons e não tão bons para viver. Certifique-se de que a opinião geral a respeito da sua propriedade se encaixa na categoria dos ótimos lugares. Construa esse conceito por meio de suas ações. Sua vida pode ser atribulada, mas será muito mais fácil.

Passos de Ação do Capítulo 11

- Estabeleça seus processos de manutenção, contabilidade e cobrança de aluguel.
- Examine a possibilidade de contratação de uma empresa profissional de administração de imóveis e entreviste diversas delas.
- Realize o levantamento creditício de cada novo candidato a inquilino.
- Filie-se a associações comerciais e profissionais.
- Seja firme com as políticas e com os procedimentos nos contratos, sem exceções!
- Responda rapidamente aos seus moradores com um sorriso.

CAPÍTULO 12

Vender ou não vender

Num dos capítulos anteriores, falamos a respeito dos prós e dos contras da especulação imobiliária como caminho para o enriquecimento rápido. Especulação imobiliária, como você se recorda, é o ato de comprar e vender imóveis rapidamente, com lucro. Este lucro é utilizado para comprar outro imóvel ou para outro investimento. Muitas pessoas pensam que esta é a maneira certa para construir um patrimônio, mas eu penso que não. Eu acredito firmemente em comprar e ficar com o imóvel por determinado tempo. Isso é o que eu faço e é como você aumenta seu patrimônio e gera caixa.

Porém, em algumas situações você pode querer, ou mesmo precisar, vender seu imóvel. Isso não significa que você irá simplesmente chamar seu corretor e colocar a placa "à venda" na rua. Isto requer alguma estratégia. Da mesma forma que você deseja administrar seu imóvel para maximizar sua geração de caixa, também pode querer vender sua propriedade para maximizar o retorno sobre o investimento. Ou seja, sua intenção é vender o imóvel pelo preço mais alto possível. E se você não tiver aprendido nada neste livro, espero que pelo menos tenha assimilado que o preço do imóvel se baseia nas próprias operações.

A essa altura, você já deve ter seu plano de administração pronto, o qual deve demonstrar como operar seu imóvel para maximizar a geração de caixa. Isso é ótimo. É o que se espera de um plano de administração de imóveis. Evidentemente, você o está aplicando todos os dias, consulta-o diversas vezes e o atualiza uma vez por ano, certo? Bem, talvez nem todos os anos. De fato, se você for como a maioria das pessoas, depois que o seu prédio estiver totalmente ocupado e esteja sendo bem administrado, é bem possível que você nem se lembre de sua localização, muito menos de onde se encontra o plano de administração. É assustador, mas acontece. É claro que eu não estou apoiando este tipo de proprietário omisso.

Então, se esse for o seu caso, ache o plano de administração, tire a poeira e dê uma olhada nele. Você vai precisar dele para preparar o imóvel para a venda. Este livro vem treinando você a encarar e avaliar os imóveis como comprador. Porém, para vender seu imóvel, você deve vê-lo como vendedor. Você se lembra da discussão a respeito de atacado e varejo? Os compradores querem comprar imóveis no atacado, enquanto os vendedores querem vender imóveis no varejo. Este capítulo mostra como obter o máximo nas suas operações no nível do varejo, a fim de que o preço de venda seja o mais elevado possível. Como você faz isto? Existem dois métodos básicos:

MAXIMIZE SUA RECEITA POTENCIAL FUTURA

Quando você compra um imóvel para ficar com ele durante algum tempo, faz sentido querer maximizar a sua geração de caixa. Afinal, seu intuito é obter um retorno para os próximos anos e, quanto mais alto, melhor. Para tanto, você precisa que seu imóvel tenha 100% de ocupação, mesmo que algumas unidades sejam alugadas um pouco abaixo do preço de mercado.

De qualquer forma, quando você estiver planejando vender seu imóvel, vai querer que os aluguéis estejam compatíveis com o valor de mercado da região, pois o valor da propriedade não será necessariamente baseado na receita atual, e sim na receita potencial futura. Algumas vezes, há uma grande diferença entre as duas. Quando você está vendendo sua propriedade, quer demonstrar a mais alta receita potencial futura, e não a mais alta receita real, porque, lembre-se, conforme explicamos no capítulo 7, a receita real dá o preço por atacado e a receita potencial dá o preço no varejo. Como vendedor, seu objetivo é vender o imóvel o mais próximo possível do preço de varejo, mesmo que isto signifique uma perda na ocupação!

Vou explicar: ninguém vai comprar o seu imóvel acreditando na hipótese de que estará 100% ocupado para sempre. Se você conhecer alguém, assim, por favor, peça-lhe que me envie um e-mail imediatamente: tenho um brejo e gostaria de mostrar-lhe. Mais propriamente, os compradores sabem que sempre haverá um componente de desocupação na análise, que poderia ser no mínimo de 2% — e eu tenho visto índices tão altos quanto 20%. Qualquer que seja o número, o ponto é que, quando você está vendendo um imóvel, nem sempre é bom que sua taxa de ocupação seja de 100%. Quando eu estou comprando uma propriedade, o índice de 100% de ocupação significa que ou os aluguéis são muitos baixos ou o vendedor está tentando me aplicar um golpe.

Para maximizar o seu preço de venda,
é melhor que a média dos aluguéis seja alta,
ainda que, para tanto, aumente a taxa de desocupação.

Vejamos um exemplo. Se sua propriedade de vinte unidades estivesse 100% ocupada e os aluguéis fossem em média US$ 35 por unidade mais baixos se comparados com os valores de mercado da região, você estaria perdendo US$ 700 por mês em locações (pressupondo novamente que você tenha 100% de ocupação). Você deixou US$ 8.400 em geração de caixa anual para o próximo comprador (US$ 700 por mês multiplicado por 12 meses). Essa pequena perda afeta diretamente o resultado final e, lembre-se, o resultado final determina o valor da propriedade.

Voltando à nossa fórmula para calcular o preço da proposta de compra de uma propriedade, você sabe que o preço de oferta é igual à receita operacional líquida dividida pela taxa de capitalização. Utilizando uma taxa de capitalização conservadora de 10%, como divisor da perda de US$ 8.400 em geração de caixa (8.400 / 0,10), chega-se a uma redução de US$ 84.000 no preço de compra. Somente pelo fato de seus aluguéis estarem US$ 35 abaixo do preço de mercado!

Como já dissemos, os compradores pressupõem que dificilmente todas as unidades estarão sempre alugadas e contam com 5 a 7% de taxa de desocupação, mesmo que no momento o imóvel esteja totalmente ocupado.

Evidentemente, é impossível conseguir um bom preço pelo imóvel se os aluguéis estiverem abaixo do mercado. Algumas vezes, é difícil que todos os aluguéis estejam alinhados com o mercado, mas é importante que pelo menos alguns sejam compatíveis. Se nenhum aluguel de unidade estiver alinhado com o preço de mercado e o seu comprador ler este livro, você estará no outro lado da análise da avaliação, abordada no capítulo 7. Não é um bom lugar para estar. Nestas circunstâncias, suas únicas alternativas serão vender o imóvel por um preço baixo ou não vender agora e preparar-se para a venda, aumentando os aluguéis e melhorando o potencial de desempenho futuro.

Os membros de sua equipe podem ajudá-lo a atualizar as informações sobre o valor de mercado dos aluguéis. A empresa de administração de imóveis e os contatos com corretores de imóveis serão particularmente de grande ajuda. De qualquer forma, para ser bem-sucedido nesse negócio, você precisa conhecer esses dados. Como você viu, com base no exemplo, a pequena diferença de US$ 35 pode resultar na perda de geração de caixa e em redução do valor do imóvel. Nesse negócio você precisa estar sempre atualizado.

Agora que você já conhece a importância de maximizar a receita potencial futura do imóvel, provavelmente está imaginando como pôr em prática essa recomendação. Existem dois caminhos:

- Relocar as unidades desocupadas pelo aluguel de mercado (varejo).
- Aumentar os aluguéis dos atuais inquilinos com base nos valores de mercado (varejo).

Não fique preocupado se essas iniciativas aumentarem a taxa de ocupação e o índice de rotação de inquilinos. Em alguns casos, isso vai acontecer. Mas, lembre-se, o objetivo aqui não é aumentar a geração de caixa, mas sim aumentar o valor de venda do imóvel, e isso significa demonstrar a mais alta receita potencial. Você só pode fazer isso provando que as suas unidades podem ser alugadas pelo preço de mercado. Quanto maior for o número de unidades alinhadas com os níveis de mercado, menor será a diferença entre os preços de atacado e varejo. Quanto menor for a diferença, mais fácil será para você conseguir um preço de varejo pelo seu imóvel.

MINIMIZANDO SUAS DESPESAS

A próxima área a ser gerenciada quando você quiser vender sua propriedade diz respeito às despesas. Existem dois tipos de despesas: fixas e variáveis. As despesas fixas são os impostos predial e territorial, contas de energia elétrica, gás, água e outros serviços públicos e prêmios de seguro. As despesas variáveis são as taxas de administração, folha de pagamento, despesas gerais, publicidade, reparos e itens de manutenção. Como o impacto das despesas variáveis é muito maior, é bom focá-las em primeiro lugar. A meta é minimizá-las tanto quanto possível. Não pelo fato de ser pão-duro, mas com o propósito de mostrar que você pode operar a propriedade com as despesas mais baixas possíveis.

Lembre-se, como comprador você estará olhando para as despesas da propriedade adquirida e estará provavelmente aumentando estes valores. No entanto, como vendedor, você precisa demonstrar que as despesas operacionais são as mais baixas possíveis. De fato, quando colocamos uma propriedade à venda, minimizamos o número de funcionários, reduzimos ou cancelamos a publicidade e aumentamos a franquia do seguro, enfim, não poupamos esforços para minimizar as despesas. Não é nada complicado, mas pode fazer grande diferença no preço de venda do imóvel.

Olhe cuidadosamente o plano de gerenciamento que você criou durante a fase de diligências. Você ainda está tirando vantagem de cada tática para economizar os custos previstos no plano? Olhe para tudo, inclusive para as pequenas coisas; elas importam. Faça uma concorrência de preços em todos os serviços novamente, ajuste seus aluguéis de forma que apartamentos com melhor localização tenham preços diferenciados, marque a vinda de seu jardineiro uma vez por semana (e não duas). Seja tão cuidadoso agora quanto na época em que comprou o imóvel.

PROCURE BONS COMPRADORES

Uma vez que você tenha colocado sua propriedade à venda, precisa procurar compradores qualificados. Por alguma razão, alguns vendedores gostam de manter segredo a respeito da venda de suas propriedades. Talvez receiem uma queda na qualidade da administração do imóvel se a empresa souber que a propriedade está mudando de dono. No entanto, em geral, ocorre exatamente o oposto. Uma boa empresa de administração de imóveis contribui para a criação de valor, se conhecer os objetivos do proprietário.

Gerenciando a propriedade por si próprio ou utilizando uma empresa especializada, você precisa comunicar a todos seu objetivo de vender o imóvel. O que alguns dos clientes da minha empresa de administração de imóveis não entendem é que também prestamos serviços a muitos investidores e proprietários, que sempre são compradores potenciais. As empresas de administração de imóveis são a principal fonte de dicas, então seja inteligente para tirar vantagem dessa rede de relacionamentos. Muitas vezes, encontramos compradores para os imóveis sob nossa administração. Se você estiver trabalhando com uma grande administradora de imóveis, que tenha boa reputação e seja bem-sucedida, a perspectiva de deixar de administrar o seu imóvel não acarretará nenhuma dificuldade. Novamente, isto é um negócio de relacionamento e, se a empresa vinha fazendo um bom trabalho, sabe que você irá procurá-la quando adquirir a próxima propriedade.

Obviamente, existe hora para confidencialidade, e esta hora é quando você de fato é abordado por um comprador. Você terá um acordo de confidencialidade pronto a ser assinado pelo possível comprador, antes de revelar qualquer coisa para ele. Isto protege vocês dois.

O QUE FAZER COM SEU DINHEIRO

Se você vender o imóvel, precisará de um plano para saber o que fazer com seu dinheiro. Eu tenho um amigo que tem uma pequena propriedade em San Diego. Entretanto, a propriedade não estava anunciada para venda. Ele foi abordado por um comprador prospectivo. O comprador fez uma oferta por um valor superior ao que havia sido pago inicialmente pela propriedade. Ele aceitou a proposta e decidiu vender. Infelizmente, naquele momento, o mercado de apartamentos em San Diego estava em alta e ele não conseguiu encontrar outro negócio que valesse a pena para reinvestir seu dinheiro. Se ele soubesse disso naquele momento, poderia ter pensado duas vezes antes de aceitar a oferta.

UMA PALAVRA FINAL

Um dia, os meus imóveis serão vendidos. Mas, até então, a geração de caixa e a valorização desses imóveis garantem que eu possa fazer as coisas que amo hoje e também no futuro. O conhecimento é fonte de liberdade. Era o que eu estava procurando quando estabeleci minha meta pessoal de independência financeira. Mal sabia que essa liberdade iria muito além do dinheiro. Liberdade para passar tempo com minha família. Liberdade para fazer coisas que gosto de fazer. Liberdade para partilhar minhas experiências com outras pessoas. Investimento em imóveis – particularmente comprando e mantendo propriedades — começou buscando só o resultado final, mas acabou sendo muito mais que isso: a experiência tem sido uma jornada vibrante.

O Autor

Ken McElroy é conselheiro de gerenciamento de propriedade para a Organização Pai Rico desde 2001 e discursa em várias cidades dos Estados Unidos e da Austrália. Criou a série de fitas de áudio "Como Aumentar a Receita do Seu Investimento em Mercado Imobiliário — Segredos dos Gestores Profissionais de Propriedade". Ken possui aproximadamente vinte anos de experiência em investimentos em grandes propriedades e em gerenciamento, supervisionando mais de vinte mil apartamentos.

Ken cogerencia a MC Companies, localizada no Arizona, e tem investimentos por todo o oeste dos Estados Unidos. A MC Companies é um grupo de empresas para adquirir, desenvolver, construir, gerenciar e converter propriedades de grande porte por todo o oeste dos Estados Unidos, para seu próprio uso e para vários investidores. O portifólio atual de gerenciamento e investimento da MC Companies consiste em mais de 4.000 unidades, com valor de mercado superior a US$250.000.000,00 (www.mccompanies.com).

Atualmente, Ken está no Conselho de Diretores exercendo a vice-presidência regional da National Apartment Association para a região sete, a qual engloba oito estados do oeste. Também é o presidente do Conselho da Arizona Multihousing Association (2004).

Ken é membro atuante da World Entrepreneurs Organization e da Young Entrepreneurs Organization, ocupando diversos cargos, incluindo o de presidente no ano fiscal de 2004-2005.

CONHEÇA TAMBÉM OUTROS LIVROS DA SÉRIE *O GUIA DO PAI RICO*

PAI RICO, PAI POBRE

192p.

ISBN 85-352-0623-X

VENDEDOR RICO

240p.

ISBN 85-352-1098-9

PAI RICO, PAI POBRE PARA JOVENS

168p.

ISBN 85-352-1487-9

PAI RICO
O GUIA DE INVESTIMENTOS

456p.

ISBN 85-352-0986-7

QUEM MEXEU NO MEU DINHEIRO?

248p.

ISBN 85-352-1486-0

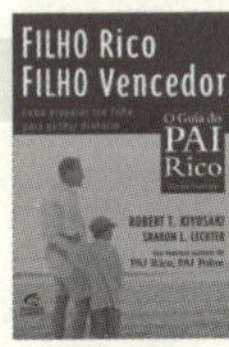

FILHO RICO, FILHO VENCEDOR

312p.

ISBN 85-352-0893-3

COMO FICAR RICO

104p.

ISBN 85-352-1359-7

INDEPENDÊNCIA FINANCEIRA

296p.

ISBN 85-352-0798-8

HISTÓRIAS DE SUCESSO DO PAI RICO

248p.

ISBN 85-352-1358-9

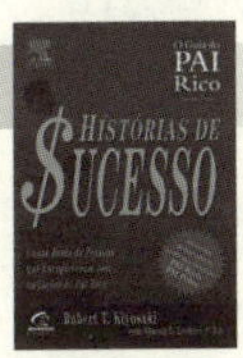

EQUIPES RICAS E VENCEDORAS

160p.

ISBN 85-352-1727-4

PROFECIAS DO PAI RICO

264p.

ISBN 85-352-1283-3

COMO COMPRAR E VENDER EMPRESAS E GANHAR MUITO DINHEIRO

180p.

ISBN 85-352-1728-2

APOSENTADO JOVEM E RICO

360p.

ISBN 85-352-1099-7

Para maiores informações sobre o Cashflow ou sobre o sistema de ensino do autor, escreva para:

Cashflow Technologies, Inc. 6611N. 64th
Place Paradise Valley, Arizona 85253

Ou visite o site:
www.richdad.com

Acreditamos que sua resposta nos ajuda a aperfeiçoar continuamente nosso trabalho para atendê-lo(la) melhor e aos outros leitores.
Por favor, preencha o formulário abaixo e envie pelos correios ou acesse www.elsevier.com.br/cartaoresposta. Agradecemos sua colaboração.

Seu nome: ____________________

Sexo: ☐ Feminino ☐ Masculino CPF: ____________

Endereço: ____________________

E-mail: ____________________

Curso ou Profissão: ____________________

Ano/Período em que estuda: ____________________

Livro adquirido e autor: ____________________

Como conheceu o livro?

☐ Mala direta
☐ Recomendação de amigo
☐ Recomendação de professor
☐ Site (qual?) ____________
☐ Evento (qual?) ____________
☐ E-mail da Campus/Elsevier
☐ Anúncio (onde?) ____________
☐ Resenha em jornal, revista ou blog
☐ Outros (quais?) ____________

Onde costuma comprar livros?

☐ Internet. Quais sites? ____________
☐ Livrarias ☐ Feiras e eventos ☐ Mala direta

☐ Quero receber informações e ofertas especiais sobre livros da Campus/Elsevier e Parceiros.

Siga-nos no twitter @CampusElsevier

ELSEVIER

SAC ELSEVIER | 0800 026 53 40 sac@elsevier.com.br

Cartão Resposta
050120048-7/2003-DR/RJ
Elsevier Editora Ltda
CORREIOS

CARTÃO RESPOSTA
Não é necessário selar

O SELO SERÁ PAGO POR
Elsevier Editora Ltda

20299-999 - Rio de Janeiro - RJ

Qual(is) o(s) conteúdo(s) de seu interesse?

Jurídico - ☐ Livros Profissionais ☐ Livros Universitários ☐ OAB ☐ Teoria Geral e Filosofia do Direito

Educação & Referência - ☐ Comportamento ☐ Desenvolvimento Sustentável ☐ Dicionários e Enciclopédias ☐ Divulgação Científica ☐ Educação Familiar
☐ Finanças Pessoais ☐ Idiomas ☐ Interesse Geral ☐ Motivação ☐ Qualidade de Vida ☐ Sociedade e Política

Negócios - ☐ Administração/Gestão Empresarial ☐ Biografias ☐ Carreira e Liderança Empresariais ☐ E-Business
☐ Estratégia ☐ Light Business ☐ Marketing/Vendas ☐ RH/Gestão de Pessoas ☐ Tecnologia

Concursos - ☐ Administração Pública e Orçamento ☐ Ciências ☐ Contabilidade ☐ Dicas e Técnicas de Estudo
☐ Informática ☐ Jurídico Exatas ☐ Língua Estrangeira ☐ Língua Portuguesa ☐ Outros

Universitário - ☐ Administração ☐ Ciências Políticas ☐ Computação ☐ Comunicação ☐ Economia ☐ Engenharia
☐ Estatística ☐ Finanças ☐ Física ☐ História ☐ Psicologia ☐ Relações Internacionais ☐ Turismo

Áreas da Saúde - ☐ Anestesia ☐ Bioética ☐ Cardiologia ☐ Ciências Básicas ☐ Cirurgia ☐ Cirurgia Plástica ☐ Cirurgia Vascular e Endovascular
☐ Dermatologia ☐ Ecocardiologia ☐ Eletrocardiologia ☐ Emergência ☐ Enfermagem ☐ Fisioterapia ☐ Genética Médica
☐ Ginecologia e Obstetrícia ☐ Imunologia Clínica ☐ Medicina Baseada em Evidências ☐ Neurologia ☐ Odontologia ☐ Oftalmologia
☐ Ortopedia ☐ Pediatria ☐ Radiologia ☐ Terapia Intensiva ☐ Urologia ☐ Veterinária

Outras Áreas - ______________________________

Tem algum comentário sobre este livro que deseja compartilhar conosco?

____

* A informação que você está fornecendo será usada apenas pela Elsevier e não será vendida, alugada ou distribuída por terceiros sem permissão preliminar.
* Para obter mais informações sobre nossos catálogos e livros por favor acesse **www.elsevier.com.br** ou ligue para **0800 026 53 40.**

EDITORA SANTUÁRIO – IMPRIMIU – Aparecida-SP